UN CADEAU INESPÉRÉ

BIOGRAPHIE

Bonnie Bryant est née et a grandi à New York, où elle vit toujours aujourd'hui avec ses deux enfants. Elle est l'auteur de nombreux romans pour la jeunesse mais aussi de novélisations de scénarios de films comme *Chérie, j'ai rétréci les gosses*. La série Grand Galop est née de la passion de Bonnie Bryant pour les chevaux. Cavalière expérimentée, elle dit néanmoins que les héroïnes du Grand Galop, Lisa, Steph et Carole, sont de bien meilleures cavalières qu'elle.

Avis aux lecteurs

Vous êtes nombreux à nous écrire
et nous vous en remercions.
Pour être sûrs que votre courrier arrive,
adressez votre correspondance à :

Bayard Éditions Jeunesse
Série Grand Galop
3/5, rue Bayard
75008 Paris

GRAND GALOP

UN CADEAU INESPÉRÉ

BONNIE BRYANT

TRADUIT DE L'AMÉRICAIN
PAR ANOUK JOURNO

BAYARD JEUNESSE

Merci à Catherine Hapka
qui m'a aidée à écrire ce livre

Titre original
SADDLE CLUB n° 40
Gift Horse

Loi n°49 956 du 16 juillet 1949
sur les publications destinées à la jeunesse.
Dépôt légal juin 2001

ISBN : 2 747 000 99 0

Avertissement

Que tu montes déjà à cheval ou que tu en rêves,
que tu aimes le saut d'obstacle, la randonnée
ou la vie des écuries,
la série **Grand Galop** est pour toi.
Viens partager avec Carole, Steph et Lisa,
les secrets de leur centre équestre préféré.

Le Club du Grand Galop

Carole, Steph et Lisa
sont les meilleures amies du monde.
Elles partagent le même amour des chevaux
et pratiquent leur sport favori au centre équestre
du Pin creux. C'est presque leur unique sujet
de conversation. À tel point qu'elles ont créé
en secret le Club du Grand Galop.
Deux règles à respecter pour en faire partie :
être fou d'équitation
et s'entraider coûte que coûte.

1

– Je vous propose un petit jeu, les filles ! s'exclama joyeusement Stéphanie Lake. Si on commandait chacune une glace de la couleur de notre cheval préféré ?

Carole Hanson et Lisa Atwood éclatèrent de rire. Ça, c'était bien une idée digne de Steph ! Ce mercredi après-midi, elles étaient attablées chez Sweetie, le meilleur glacier de Willow Creek et le lieu de rendez-vous favori des trois amies qui, outre l'amour des

chevaux, avaient un autre point commun : la gourmandise !
– Et si tu avais un cheval gris ? se moqua Carole.
Steph esquissa une moue malicieuse :
– Facile ! Je prendrais une glace à la vanille ! Blanc et gris, ça va ensemble, non ? Mais comme la robe d'Arizona est d'un superbe brun chocolaté... Hum...
Elle consulta la carte, hésita, puis déclara d'un ton ravi :
– Ce sera cacao, moka, crème ganache, le tout saupoudré de noix de coco. La noix de coco, c'est pour rappeler les chevilles blanches d'Arizona, précisa-t-elle d'un air entendu.
Carole et Lisa échangèrent un coup d'œil complice. Les trois filles aimaient tellement les chevaux qu'elles avaient créé le Club du Grand Galop. Être passionnées d'équitation, telle était leur devise. Et Steph était passionnée, ça oui ! Récemment, ses parents lui avait offert une magnifique jument demi-sang, au caractère fougueux et espiègle

comme celui de Steph… La jeune fille l'avait provisoirement appelée Arizona, son cheval venant de l'Arizona ; mais, dès qu'elle le connaîtrait mieux, affirmait-elle, elle lui donnerait un nom moins banal ! En tout cas, Steph ne cachait pas son bonheur d'être la maîtresse de ce beau cheval.

– De la noix de coco pour les chevilles d'Arizona ? la taquina Lisa. Et sa crinière plus sombre, alors ?

– Hé, à toi de commander ! s'esclaffa Steph en désignant la serveuse qui, derrière le comptoir, attendait qu'elles aient choisi.

– Bien, chef !

Lisa fit mine de réfléchir :

– Je prendrai une boule au café, et une boule chocolat-noisettes. Qu'en pensez-vous ?

Au Pin creux, le centre équestre où toutes trois s'entraînaient, Lisa s'occupait du dressage de Prancer, une jument baie, comme celle de Steph. Sa robe était toutefois plus claire.

– Ton choix est plus limité que celui de

Steph, fit remarquer Carole. Le mien aussi, d'ailleurs.

– Je te signale que ton Diablo est plutôt alezan, protesta Steph en riant.

– Exact... Et son crin est chocolat, renchérit Carole, les yeux brillants comme à chaque fois qu'elle pensait à son cheval. Dans ce cas, pour moi, ce sera chocolat et noix de pécan.

Quelques instants plus tard, tout en dégustant leurs glaces, Steph, Lisa et Carole évoquèrent avec entrain le principal motif de leur réunion : le gymkhana organisé au Pin creux le samedi de la semaine suivante. Jeux équestres divers et variés, relais, démonstrations d'adresse... Ce jour-là, sept autres clubs hippiques de la région s'affronteraient au Pin creux.

– Au fait, j'en ai parlé avec Phil, déclara Steph. Son club a reçu la liste des épreuves plus tôt que nous. C'est injuste !

– Ne t'inquiète pas, nous serons quand même les meilleures, dit Lisa en lui adressant un clin d'œil. Nous l'avons toujours été,

alors pourquoi ça changerait ?
– Parce que le club du Cross County a un champion ! répondit Steph en haussant les épaules.
– Ah-ah..., firent Lisa et Carole en chœur.
Bien sûr ! Le champion en question n'était autre que Phil Marsten, le petit ami de Steph ! Tous deux adoraient autant l'équitation que la compétition. Ils en devenaient des rivaux...
– Les copines, je compte sur vous, reprit Steph avec autorité. Je veux qu'on batte l'équipe de Phil !
– Sans blague ? lança Lisa. Eh bien, nous ferons de notre mieux. Je vous signale qu'on a un problème !
– Quel problème ? demandèrent Carole et Steph à l'unisson.
– Vous n'êtes pas au courant ? s'étonna Lisa. On fera équipe avec Veronica !
– Tu plaisantes, j'espère ? s'exclama Steph.
– Hélas, non, soupira Lisa. Je l'ai appris tout à l'heure. Le Pin creux présentera deux équipes : il y aura celle d'Adam Levine,

avec Meg Durham, Simon Atherton et Polly Giacomin. Et nous trois, avec Veronica.

Les trois amies se regardèrent, consternées. Veronica Angelo était une riche cavalière du Pin creux, snob, égoïste et prétentieuse. Elles l'avaient surnommée « la peste »... et ne l'aimaient pas beaucoup.

– Dur, dur, maugréa Carole. Seul bon point : Miss Chichis a un cheval très rapide.

– C'est vrai, Tornade est vive, admit Steph en parlant du pur-sang que possédait Veronica. Mais Arizona l'est aussi...

– Alors, nous serons quand même les meilleures ! conclut Lisa. Bon, assez bavardé ! Si on allait s'entraîner ?

Steph et Carole l'approuvèrent avec enthousiasme.

Dès qu'elles eurent terminé leurs glaces, les filles retournèrent au Pin creux. En ce début du mois d'octobre, il faisait bon, et un doux soleil brillait dans un ciel sans nuage. Steph se mit à fredonner gaiement. Elle était heureuse de retrouver Arizona, son cheval bien-aimé...

– Tu vois ce seau d'eau ? On y va !
Les oreilles d'Arizona pointèrent vers l'avant. Vive et attentive, la jument semblait comprendre exactement ce que Steph voulait. Obéissant au léger coup de talon de sa cavalière, le cheval trotta jusqu'au seau que lui avait désigné Steph. Celle-ci se pencha pour ramasser le seau, puis repartit au galop et rattrapa Lisa, qui montait Prancer.
– On n'a pas renversé une goutte ! dit-elle fièrement en lui tendant le seau.
Lisa s'en empara et se hâta de rejoindre Carole. Juchée sur Diablo, cette dernière attrapa habilement le seau, et s'élança vers Veronica, juchée sur Tornade :
– À toi de jouer !
Veronica Angelo était déjà au Pin creux quand les trois amies étaient arrivées une demi-heure plus tôt. Étant donné les circonstances, elles trouvèrent ça plutôt bien. Car Max Regnery, leur moniteur et propriétaire du centre équestre, avait bel et bien décidé que la jeune fille ferait équipe avec Lisa, Steph et Carole ! À présent, il leur fal-

lait s'entraîner. Max les avait autorisées à s'exercer dans la carrière, libre pour l'instant. Depuis un quart d'heure, les quatre filles préparaient donc l'une des épreuves du gymkhana : la course de relais avec un seau d'eau. Pas facile !

Au moment où Veronica s'apprêtait à s'emparer du seau, une mèche de sa longue chevelure brune lui tomba sur les yeux. Aveuglée, l'adolescente renversa la moitié de l'eau.

– Oups ! Désolée ! gloussa-t-elle.

Carole, Steph et Lisa échangèrent un coup d'œil exaspéré.

– Samedi prochain, attache tes cheveux, marmonna Steph avec humeur. Si on perd à cause de toi…

– Et alors ? la défia Veronica d'un air hautain. Ce ne sont que des jeux !

– Peut-être, mais on aimerait gagner, insista calmement Lisa.

Carole, elle, resta silencieuse, le regard sombre. À l'évidence, Veronica Angelo l'irritait tellement qu'elle préférait se taire.

– Oh, ce n'est pas grave… On recommence ? suggéra Veronica en tentant d'amadouer les trois amies. Je vais m'appliquer, promis !

Et, miracle, elle tint parole ! Les quatre cavalières trottèrent plusieurs fois autour de la carrière en se transmettant le seau sans renverser une seule goutte d'eau. Puis elles accélèrent l'allure, de plus en plus… toujours avec la même adresse.

– Génial ! chuchota Steph à l'oreille d'Arizona. Si on continue comme ça, on sera imbattables !

La jument s'ébroua comme si elle avait compris. Ce n'était pas la première fois qu'elle réagissait ainsi. Dès que Steph lui parlait, Arizona tressaillait, les oreilles dressées, les sens en alerte, ses grands yeux bruns pétillant d'intelligence. « Cette jument est exceptionnelle », pensa Steph pour la centième fois.

Plus tard, en pansant son cheval, Steph éprouva de nouveau une bouffée de joie mêlée de fierté. Oui, Arizona était unique, merveilleuse… Entre elles, la communion se révélait d'une rare perfection. Là, par exemple, Arizona venait d'alterner différents types d'exercices en préparation du gymkhana : pas une seule fois elle ne s'était trompée ni n'avait renâclé. Elle était joueuse, n'avait peur de rien, et aimait apprendre. Carole et Lisa l'avaient d'ailleurs remarqué. « Arizona n'est pas un cheval comme les autres… On dirait qu'elle a un sixième sens ! » avait commenté Carole, admirative.

Caressant le flanc de son cheval, Steph murmura :

– Il n'y en a pas deux comme toi. Tiens, voilà la récompense pour ton excellent travail…

Elle lui donna plusieurs carottes, qu'Arizona croqua allègrement. Steph la contemplait, attendrie. Depuis que ses parents lui avaient offert cette jument, elle ne cessait de s'émerveiller. Elle s'entendait si bien avec elle ! Jamais elle n'avait autant aimé un cheval ! Et ce n'était que le début d'une longue aventure… Grâce à Arizona, elle progresserait encore davantage en équitation, gagnerait sûrement de nombreuses compétitions… Oui, c'était le plus beau cadeau de sa vie !

2

Il était tard quand Steph rentra chez elle. Elle eut juste le temps de se doucher avant de passer à table. Le repas était servi, et ses parents, ainsi que ses trois frères, avaient commencé à dîner.

– Excusez-moi, lança gaiement Steph. C'est toujours pareil : quand je suis avec Arizona, j'oublie l'heure !

À sa grande surprise, tout le monde garda le silence, même ses frères. Ça, c'était bizarre.

En principe, ils ne rataient jamais une occasion de la railler ! Mais là, Sam, Alex et Michaël regardaient leur assiette. Quant à M. et Mme Lake, ils avaient l'air grave.

– Hum... Il y a un problème ? demanda Steph, un peu inquiète.

Son père s'éclaircit la voix :

– Oui, Steph, il y a un problème. Nous avons reçu une lettre...

– Au sujet du cours de gym ? s'exclama Steph. Oh, je suis désolée... Oui, j'avoue ! J'ai taché mon survêt' d'encre rouge pour faire croire au prof que j'étais blessée au genou ! Vous savez bien que je déteste la danse moderne, et...

Elle s'interrompit, car tout le monde l'observait avec une totale stupéfaction. « Aïe ! J'ai gaffé », pensa-t-elle en se mordant la langue. La lettre concernait certainement autre chose.

– Qu'est-ce qu'il y a ?

Ses parents demeurèrent muets.

– Papa ? Maman ? Mais enfin, que se passe-t-il ? insista Steph, de plus en plus inquiète.

– Ma chérie, il y a un problème… Un problème qui concerne Arizona, annonça sa mère.
Steph sentit sa gorge s'assécher :
– Arizona ?
– Un certain Anthony Webber nous a écrit, poursuivit son père. Chelsea, sa fille, est allée au Pin creux ces derniers jours, et elle a vu Arizona. Steph, Chelsea Webber affirme qu'il s'agit de son cheval.
Steph crut avoir mal entendu :
– Son… son cheval ? N'importe quoi !
– Cette jeune fille prétend qu'Arizona lui a été volée, ajouta M. Lake d'un ton embarrassé. Elle en a discuté avec Max Regnery. D'après elle, Arizona s'appelle Punk.
– Punk ? répéta Steph, abasourdie. Qu'est-ce que c'est que cette histoire ?
– En fait, son vrai nom serait Ponctuation, à cause de cette marque en forme de point d'exclamation qu'elle a sur son front, précisa Mme Lake. Punk est un diminutif. Pour Chelsea Webber, il n'y a aucun doute possible : Arizona est Punk. Et…

La mère de Steph exhiba un document plié en quatre :
– Steph, dans cette lettre, la famille Webber nous met en garde : si nous ne rendons pas le cheval, ils portent plainte contre nous pour recel.
Sous le choc, Steph agrippa violemment le bord de la table :
– Mais c'est impossible ! Il y a une erreur ! On… on n'a pas volé Arizona !
– Calme-toi, ma chérie, dit M. Lake. Cette jeune fille et son père nous menacent, mais rassure-toi : nous avons acheté Arizona tout à fait légalement à M. Baker, le directeur du Club Cross County, nous pouvons le prouver.
– Oui, ne t'inquiète pas, renchérit Mme Lake. Même si Arizona a été dérobée à ses propriétaires, nous, nous l'avons acquise en toute légalité. Et si les Webber veulent la reprendre, ils devront fournir de solides preuves qu'elle leur appartenait, et qu'on la leur a volée.
– Des preuves ? murmura Steph. Des preuves ?

Soudain, elle avait l'impression de basculer en plein cauchemar. L'espace d'un instant, elle imagina le pire scénario : la police débarquerait au Pin creux, on lui enlèverait Arizona… Une angoisse insurmontable lui noua la gorge, et elle dut faire un effort pour se ressaisir.

– Et si cette fille veut reprendre Arizona de force ? demanda-t-elle d'une voix tremblante.

– Pour le coup, ce serait du vol ! affirma Mme Lake avec indignation. Avant tout, la famille Webber devra prouver qu'Arizona est Punk. Tant que ce sera pas fait, ils n'auront aucun droit sur ton cheval.

Malgré sa confusion, Steph s'efforça de sourire. Après tout, ses parents étaient avocats. Ils sauraient empêcher cette terrible injustice !

– Et s'ils prouvent que c'est le même cheval ?

– Eh bien…

M. et Mme Lake se regardèrent, l'air soucieux.

– Dans ce cas, Arizona leur reviendra, déclara M. Lake. La loi est la loi. Mais, sincèrement, Steph, un tel revirement me paraît très improbable…
– D'autant que nous n'avons aucune raison de croire qu'Arizona est un cheval volé ! compléta la mère de Steph. Beaucoup de chevaux se ressemblent.
En souriant, elle ajouta d'un ton faussement sévère :
– Pour parler d'autre chose, Steph, quelle comédie as-tu encore manigancée à l'école ?
– C'est grave de mentir à un professeur, reprit M. Lake, les sourcils froncés.
– Super grave, insista Alex, le frère jumeau de Steph.
– Gravissime, affirma Sam, son grand frère.
– Tu seras punie ! renchérit Michaël, le cadet de Steph. Privée de dessert !
Tout le monde se mit à rire, sauf Steph. Elle se moquait pas mal de cette histoire de cours de danse raté… Elle enfouit le visage dans ses mains. La tête lui tournait. Dire qu'une

heure plus tôt, elle se sentait si heureuse, si sereine auprès d'Arizona... Même Flamme, le hongre du Pin creux que Steph adorait, ne lui avait inspiré pareils sentiments. Non, personne ne lui enlèverait Arizona... Personne ! Arizona était son cheval, et aucune loi n'y changerait rien.

Le lendemain après-midi, Steph retrouva Lisa et Carole au Pin creux. La veille au soir, elle leur avait téléphoné pour les prévenir. Elle avait également appelé Phil Marsten, son petit ami. Carole, Lisa et Phil avaient eu la même réaction : si les Webber prétendaient qu'Arizona leur avait été volée, ils devraient le prouver, et plutôt deux fois qu'une ! Mais il s'agissait sûrement d'une erreur. Une erreur terrible.

– Courage, Steph, dit Carole en serrant son amie dans ses bras.
– Et ne t'inquiète pas trop ! Les choses vont s'arranger, lui assura Lisa avec véhémence.
– J'espère, j'espère…, marmonna Steph en se dirigeant vers les écuries.
Les trois amies gagnèrent le box d'Arizona. Steph enlaça affectueusement le cou de son cheval :
– Coucou, toi…
Comme si elle sentait sa tension, Arizona enfouit le nez dans la nuque de sa jeune maîtresse. Puis, malicieuse, elle lui mordilla les cheveux. Steph ne put s'empêcher de rire :
– Arrête, coquine ! Si tu continues, je vais t'apporter des perruques en guise de repas !
– Je doute qu'Arizona apprécie les poils synthétiques, plaisanta Carole en caressant la jument.
Redevenant sérieuse, elle ajouta :
– Hier soir, après avoir appris cette horrible nouvelle, j'ai eu du mal à m'endormir.
– Moi aussi, avoua Lisa, qui grattait tendrement le front d'Arizona.

– Et moi donc ! soupira Steph. J'ai fait des cauchemars toute la nuit. J'ai rêvé que je me trouvais dans le box des accusés, au tribunal : le juge hurlait que j'avais volé Arizona. Mon avocat, c'était Simon Atherton... Et, face au juge, il bafouillait lamentablement. Vous imaginez la suite...

Lisa et Carole esquissèrent une grimace. Simon était un jeune cavalier du Pin creux qui s'inscrivait souvent aux mêmes reprises que les filles. Il débordait d'enthousiasme, mais n'était pas très doué... et pas très futé.

– Évidemment, j'ai perdu le procès, conclut Steph.

– Mais c'était un cauchemar ! s'écria Lisa. Dans la réalité, ça ne se passera pas comme ça. Arizona et toi, vous vous entendez si bien ! Personne ne pourra vous séparer.

La jument dressa les oreilles, comme si elle écoutait. Soudain au bord des larmes, Steph appuya la tête contre l'encolure soyeuse du cheval :

– J'espère...

Elle prit une profonde inspiration :
– Il faut que je parle avec Max. C'est lui qui a vu Chelsea Webber et lui a donné mon adresse !
– On t'accompagne, Steph, déclara Carole. On va régler ce problème, et vite !
Après une dernière caresse à Arizona, les filles quittèrent le box. Au même moment, Veronica Angelo fit irruption dans les écuries. Elle avait dû entendre les derniers mots de Carole, car elle s'exclama, la mine curieuse :
– Quel problème ?
Steph échangea un regard avec ses amies. Tôt ou tard, Veronica apprendrait la nouvelle ! Par conséquent, mieux valait la mettre au courant dès maintenant.
– Il paraît qu'Arizona est un cheval volé, déclara-t-elle à contrecœur. Une certaine Chelsea Webber a affirmé à Max qu'Arizona lui appartient. Son père nous a écrit. Si on ne rend pas Arizona, ils préviennent la police.
– Chelsea Webber, tiens donc ! lança

Veronica. Tu l'as déjà vue ?
– Jamais. Pourquoi, tu la connais ? s'enquit Steph, perplexe.
– Pas du tout. Mais je crois qu'en ce moment Max est avec elle. C'est une fille fagotée comme un sac, et…
Sans plus l'écouter, les trois amies sortirent des écuries et s'engouffrèrent dans le bureau de Max. En effet, le propriétaire du Pin creux discutait avec une jeune fille aux cheveux courts.
– Ah, justement, la voilà, annonça Max en désignant Steph. Steph, assieds-toi, s'il te plaît.
La gorge nouée, Steph obtempéra. À la demande de Max, Carole et Lisa s'éclipsèrent.
– Steph, je te présente Chelsea Webber, reprit Max. Chelsea, voici Stéphanie Lake.
Les deux adolescentes s'affrontèrent du regard en silence. Chelsea était blonde, mince et pâle. Elle portait un jean et un T-shirt élimés. Malgré elle, Steph se remémora la remarque de Veronica : « Elle est

fagotée comme un sac… ». Veronica aurait aussi pu noter que Chelsea n'avait pas l'air sympa du tout ! Son visage était renfrogné et dur.

– Alors c'est toi qui as volé Punk ? l'accusa Chelsea, le regard brillant de colère.

– Jamais de la vie ! répliqua Steph en se levant d'un bond. Arizona est à moi !

– Ça m'étonnerait, rétorqua Chelsea d'un ton sec. Je te signale que Punk m'a reconnue.

– Reconnue ? répéta Steph, ahurie. Que veux-tu dire ?

Chelsea se dressa à son tour :

– Monsieur Regnery, peut-on refaire le test de l'autre jour ?

Max lança un coup d'œil embarrassé à Steph :

– Je suis désolé. Viens avec nous : tu jugeras toi-même.

Steph acquiesça d'un bref signe de tête. L'angoisse et l'indignation lui comprimaient tellement la poitrine qu'elle avait l'impression de suffoquer. Machinalement, elle suivit Max et Chelsea jusqu'aux écuries. En passant, elle aperçut Lisa, Carole et Veronica. Toutes trois lui adressèrent un petit geste amical ; mais, trop préoccupée, Steph ne leur répondit pas.

– Punk ! appela joyeusement Chelsea en pénétrant dans les écuries. Ma Punk !

Chelsea se dirigea vers le box d'Arizona, l'ouvrit et, sûre d'elle, s'approcha de la jument. Arizona souffla doucement ; elle ne broncha pas quand la jeune fille lui flatta l'encolure. Puis, comme Chelsea lui parlait avec tendresse, Arizona secoua la tête et émit un léger hennissement.

– On dirait vraiment qu'elle connaît Chelsea, observa Max à mi-voix.

Steph resta muette, abasourdie. Le sang cognait à ses tempes. Max avait raison : Arizona se montrait amicale vis-à-vis de Chelsea. Amicale et accueillante... Exactement comme avec Steph.

– Je ne comprends pas, murmura-t-elle, les yeux rivés sur Arizona.

– Parce qu'il n'y a rien à comprendre !

affirma Chelsea d'un ton triomphant. Ce cheval est à moi, point final.

Elle tapota affectueusement le flanc de la jument :

– N'est-ce pas, ma beauté ? Tu es à moi !

Les rives du Willow Creek étaient un lieu merveilleusement paisible : fleurs et bosquets bordaient la petite rivière. Willow Creek, la ville qu'habitaient Carole, Lisa et Steph, avait été baptisée ainsi en hommage à ce ravissant cours d'eau. En été, les trois amies venaient s'y rafraîchir. En octobre, bien sûr, il faisait trop froid... sauf que, ce jour-là, Steph fulminait tellement qu'elle aurait été capable de s'y jeter tête la première.

– Je n'arrive pas à y croire, répétait-elle en essuyant rageusement ses larmes. Elle a eu le toupet de venir me provoquer au Pin creux ! Carrément !

Lisa et Carole hochèrent la tête, aussi embarrassées l'une que l'autre. Une heure plus tôt, sous les yeux de Max Regnery,

Steph s'était presque disputée avec Chelsea Webber. Lisa avait alors proposé une promenade le long du Willow Creek, en espérant que leur amie se calmerait. Mais Steph ne se calmait pas, au contraire...

– Arizona est à moi ! martelait-elle sans arrêt. Et personne ne me la reprendra, jamais ! Chelsea m'accuse, mais c'est elle, la voleuse !

– Écoute, ne panique pas. Pour l'instant, Chelsea ne peut rien contre toi, fit gentiment remarquer Carole. Il doit y avoir une erreur.

– Est-ce que tes parents ont contacté l'ancien propriétaire d'Arizona ? demanda Lisa.

– M. Baker ? Ils le font aujourd'hui, répondit Steph avec humeur. Il nous fournira les documents qui prouvent qu'on a acheté Arizona, et tout s'arrangera... Enfin, j'espère.

– Mais oui ! lui assura Carole, optimiste. Qui sait, on découvrira peut-être que cette Chelsea est une menteuse ! Ou qu'elle raconte des histoires pour se rendre intéressante !

Lisa esquissa une moue :

– Tu veux dire qu'elle serait une mythomane ? Bien sûr, tout est possible. En fait, il n'y a qu'une seule personne qui peut résoudre ce problème : M. Baker, qui a vendu Arizona aux parents de Steph. S'il possède les papiers d'origine du cheval, tout sera réglé en deux temps trois mouvements. Mais s'il ne les a pas…

Un lourd silence suivit ses paroles. Les trois amies pensaient la même chose : dans ce cas, ce serait très grave.

4

Quand Steph arriva chez elle ce soir-là, ses parents l'attendaient. À leur expression, la jeune fille devina immédiatement que les nouvelles n'étaient pas bonnes. L'appréhension lui noua la gorge. Déjà qu'elle s'était à peine remise de sa rencontre avec Chelsea…

– Vous avez contacté M. Baker ?

– Oui, je lui ai parlé ce matin, répondit son père.

– Et alors ?
Steph surprit le coup d'œil inquiet que sa mère lançait à son père.
– Et alors ? répéta-t-elle sourdement.
– Eh bien, M. Baker a acheté Arizona, en même temps que plusieurs autres chevaux, à un revendeur : un agent, en quelque sorte, lui expliqua sa mère. L'ennui, c'est que ce revendeur a lui-même acquis les animaux dans différents haras. M. Baker va se renseigner.
– En attendant, ta mère et moi avons commencé notre enquête, poursuivit le père de Steph. Mais cela prendra du temps. Retrouver l'origine d'Arizona ne sera pas facile…
Redoutant le pire, Steph sentit son estomac se contracter. Ses parents lui cachaient-ils autre chose ? Elle les dévisagea avec anxiété :
– Papa, maman, ce ne sera pas facile, mais… ce sera possible ?
– Ma chérie, dit Mme Lake, ton père a également discuté avec M. Webber cet après-midi…

Elle s'interrompit et jeta un bref regard à son mari.

– En effet, j'ai discuté avec M. Webber, enchaîna M. Lake. Steph, je n'ai pas pu le persuader qu'Arizona n'est pas Punk.

– Mais c'est à lui de prouver qu'elle est Punk, pas vrai ? répliqua vivement Steph. C'est bien ce que vous m'avez dit hier ?

– Exact, répondit Mme Lake. Et M. Webber a entrepris les démarches.

Elle montra à sa fille plusieurs documents, des feuilles dactylographiées, signées et tamponnées :

– Steph, voici sa demande officielle.

– Sa demande… de quoi ? balbutia Steph.

– C'est l'équivalent d'une autorisation de perquisition. L'un de ces papiers autorise les Webber à faire examiner Arizona par un vétérinaire, conclut sa mère.

Steph se sentit soulagée. Un vétérinaire se rendrait vite compte qu'Arizona n'était pas Punk !

– L'ennui, c'est que M. Webber a aussi entamé une procédure judiciaire, ajouta

Mme Lake. Et le tribunal a décidé que tu n'as plus le droit de monter Arizona tant qu'on n'aura pas fourni les preuves de son acquisition légale. Arizona devra rester au Pin creux jusqu'au jugement définitif.

– Le jugement définitif?

Steph eut l'impression qu'on lui assenait un coup de marteau sur la tête. Durant quelques secondes, elle resta silencieuse, comme étourdie. Puis, peu à peu, l'absurde et terrible signification de cette nouvelle s'insinua à son esprit.

– Je n'ai plus le droit de monter Arizona? articula-t-elle lentement. Plus le droit… du tout?

Visiblement peinée, sa mère secoua la tête.

– Mais Arizona est à moi! s'insurgea Steph. Ils ne peuvent pas m'interdire de la monter!

– Ma chérie, tu dois comprendre…, commença Mme Lake d'un ton apaisant.

– Je comprends juste que cette fille, cette… cette Chelsea je-ne-sais-quoi me veut du mal! l'interrompit Steph d'une voix tremblante de larmes contenues. Mais je ne lais-

serai pas faire, ah, non ! Personne ne m'empêchera de monter Arizona ! Personne ! Arizona est à moi ! Vous me l'avez offerte !
– Steph, calme-toi ! Ça ne sert à rien de s'énerver.
– Ta mère a raison, renchérit M. Lake en posant une main réconfortante sur l'épaule de Steph. Fais-nous confiance : nous allons régler cette vilaine affaire au plus vite. Mais, en attendant, tu dois respecter la décision du tribunal. Tu n'as pas le choix, ma chérie. La loi est la loi.
« La loi est la loi... » Ces paroles résonnèrent à l'esprit de Steph, cinglantes comme un coup de cravache.
En état de choc, la jeune fille pivota sur ses talons, se précipita dans sa chambre et claqua violemment la porte derrière elle. Là, elle se jeta sur son lit. Ses mains tremblaient, sa vue se brouillait... Chose curieuse, toutefois, aucune larme ne coulait de ses yeux. Jamais Steph n'avait ressenti cela : un désespoir si grand qu'elle ne pouvait même pas pleurer. Mais c'était un

désespoir mêlé de colère, de révolte. Quoi qu'il arrive, elle devrait rester forte, combative, pour affronter Chelsea et sauver Arizona de ses griffes…
Lorsqu'elle se fut un peu calmée, Steph se redressa, décrocha le téléphone et composa le code permettant de téléphoner à deux personnes en même temps. Ensuite, elle appela Lisa et Carole, et leur raconta tout. Ses deux amies furent horrifiées et scandalisées. Néanmoins, fidèles à elles-mêmes, elles essayèrent aussitôt de trouver une solution.
– Et si on aidait M. Baker à mener l'enquête ? suggéra Carole.
– Oui, plus vite on saura où son revendeur a acheté Arizona, plus vite la situation sera réglée, observa Lisa. Steph, surtout, ne te décourage pas. Ce n'est pas le moment de baisser les bras.
Malgré elle, Steph sourit. C'était toujours pareil : dès qu'elle discutait avec ses deux meilleures amies, son moral remontait. C'était ça, le Club du Grand Galop ! Du coup, elle échafaudait déjà un plan…

– Je pense à une chose…, déclara-t-elle.
– À quoi ? s'enquirent Lisa et Carole en même temps.
– Comment peut-on m'empêcher de monter Arizona ? Qui fera attention ? Au Pin creux, personne ne me dénoncera à la famille Webber !
Il y eut un court silence à l'autre bout du fil.
– Tu as raison, dit Carole. Personne n'en saura rien. En plus, tu dois continuer à entraîner Arizona pour le gymkhana.
– Donc, je la monterai quand même ! s'exclama Steph.
– Je ne suis pas certaine que ce soit prudent, objecta Lisa, la plus raisonnable des trois. Et si Chelsea, ou ses parents, débarquaient au Pin creux ? N'oubliez pas qu'un document légal interdit que Steph sorte Arizona. Il faut respecter la loi ! Sinon, peut-être que Steph ira en prison…
– Hein ? En prison ? répéta Steph, interloquée. Parce que j'aurais monté mon cheval ?
– Parce que ce cheval ne t'appartient peut-être pas, précisa Lisa avec justesse. Oh,

maman m'appelle pour dîner. Téléphonez-moi plus tard si vous avez du nouveau, d'accord ?

Steph le lui promit, et poursuivit sa conversation avec Carole. Grâce à ses amies, elle se sentait déjà nettement mieux ; plus forte, et prête à tout pour résister à Chelsea... Non, elle ne se laisserait pas faire ! Et Carole l'avait souligné : les jeux équestres se déroulaient dans une semaine. Sans Arizona, comment leur équipe gagnerait-elle ? Aucun cheval n'était aussi doué... Pas même Flamme.

Après avoir raccroché, Steph resta songeuse un long moment. « Aller en prison parce que j'ai monté Arizona ? Ce serait le comble ! » pensa-t-elle, perplexe. Il y avait sûrement une solution... Sûrement ! Par exemple s'entraîner avec Arizona en secret, dans le manège couvert... Qui s'en rendrait compte ?

Un léger coup frappé à la porte de sa chambre interrompit les réflexions de Steph. C'était sa mère :

– Alors, ma chérie, comment ça va ?
– Moyen, avoua Steph.
– Garde le moral, lui dit tendrement sa mère. Nous faisons tout ce qui est en notre pouvoir pour que tu gardes Arizona.
– Je sais, Maman. Et j'ai de la chance : vous êtes avocats… De bons avocats, en plus !
Sa mère lui sourit avec gentillesse :
– Les avocats doivent respecter la loi comme tout le monde. Nous sommes obligés d'obéir au juge qui a décidé qu'Arizona ne doit plus sortir. Ma chérie, je te connais, ajouta-t-elle d'un air indulgent. Tu as beaucoup d'imagination… S'il te plaît, ne manigance rien !
Steph la regarda avec stupeur. Comment sa mère avait-elle deviné ses intentions ? Avait-elle entendu sa conversation téléphonique ?
– Mais, enfin, Maman, ne pas monter Arizona, c'est impossible, gémit-elle. Je ne pourrai pas…
– Si, tu le pourras, l'interrompit Mme Lake avec fermeté. Il le faudra. Je suis désolée, mais tu n'as pas le choix.

Steph baissa les yeux.

– Allez, courage ! reprit sa mère. Tout se passera bien, tu verras. Et viens dîner, ma chérie. Même si le cœur n'y est pas, il faut que tu manges. Surtout à un moment pareil !

Sur ce, elle fit demi-tour et quitta la pièce.

Steph s'assit au bord de son lit, les yeux dans le vide. Elle ne parvenait pas à croire qu'on lui interdisait de monter son cheval… C'était si injuste, si insensé !

Puis, se remémorant les conseils de sa mère, Steph sourit malgré elle, rêveuse. Elle était bien la digne fille de M. et Mme Lake : jamais à court d'idées ! Curieusement, cette constatation lui insuffla une bouffée d'optimisme. Au fond d'elle-même, elle avait la certitude que les choses s'arrangeraient quand même. L'impossible n'existait pas…

5

Le lendemain, après l'école, Steph, Carole et Lisa se retrouvèrent au Pin creux. Même si Steph n'avait plus le droit de monter Arizona, elles avaient décidé de continuer à s'entraîner pour les jeux équestres. D'ici là, espéraient-elles, tout serait arrangé. En attendant, Steph s'exercerait avec Flamme.

Ne voyant pas Veronica, les trois amies gagnèrent le box de Tornade. La jument s'y trouvait, mais pas sa maîtresse.

– Où est-elle ? s'impatienta Carole. On avait rendez-vous !
Steph fronça les sourcils :
– Étrange ! Je l'ai croisée, ce matin. Elle m'a dit qu'elle viendrait.
Steph et Veronica fréquentaient toutes deux Fenton Hall, une école privée qui se situait de l'autre côté de la ville, assez loin de l'établissement public où étaient scolarisées Carole et Lisa.
– On n'a qu'à commencer sans elle, proposa Lisa en haussant les épaules.
– Et tant mieux, ajouta Carole. Cette peste m'énerve tellement que j'en ai la chair de poule.
Sa remarque déclencha un éclat de rire général ; même Steph se dérida.
– Bon, il faut que je demande à Mme Reg si je peux m'entraîner avec Flamme, annonça-t-elle en retrouvant son sérieux. Puisque je n'ai pas le choix... Au fait, vous vous rendez compte que ma mère a deviné que je voulais quand même monter Arizona ?
– Et ça t'étonne ? L'esprit sioux, c'est géné-

tique dans ta famille, plaisanta Carole.

– C'est aussi pour cette raison que tes parents sont d'excellents avocats, renchérit Lisa en lançant un clin d'œil à Steph. Ils sont plutôt futés.

– Là, je suis d'accord avec vous, dit Steph d'un ton exagérément fier. Vous m'accompagnez ?

Les filles se dirigèrent vers le bureau de Mme Reg, la mère de Max Regnery.

– Bonjour ! dit celle-ci. Justement, j'ai un message pour vous. Le quatrième larron de votre équipe a téléphoné.

– Veronica ? demanda Carole.

– Oui. Elle est désolée, mais elle ne pourra pas venir aujourd'hui. Elle est chez le garagiste avec sa mère.

– Le garagiste ? répéta Steph d'un ton moqueur. Ne me dites pas qu'on va lui offrir sa propre Mercedes avec un chauffeur perso !

Lisa et Carole ne purent s'empêcher de rire. Telle une princesse, Veronica arrivait souvent au Pin creux dans une splendide

Mercedes que conduisait le chauffeur des parents.
– Non, ce n'est pas vraiment le cas, dit Mme Reg.
Steph, Lisa et Carole redevinrent sérieuses.
– Mme Angelo vend sa Mercedes et achète une voiture plus petite, poursuivit Mme Reg. Elle a demandé à Veronica de l'accompagner chez Ford, paraît-il.
Les trois amies se regardèrent, médusées. Quoi, l'élégante Mme Angelo et sa fille se déplaceraient dans un véhicule tout à fait ordinaire ? Comme tout le monde ? C'était totalement inimaginable !
Comme si elle avait deviné leurs pensées, Mme Reg précisa, un peu ennuyée :
– Écoutez, je ne devrais peut-être pas vous en parler... Mais comme Veronica fait partie de votre équipe de jeux équestres, je préfère que vous soyez au courant. Son père, qui est banquier, comme vous le savez, risque la faillite. C'est très grave. La famille de Veronica est au bord de la ruine.
Lisa, Carole et Steph échangèrent un coup

d'œil. Même si elles n'avaient jamais apprécié l'arrogante Veronica, cela leur faisait de la peine d'apprendre cette nouvelle.

– Vous pensez que Veronica sera obligée de se séparer de Tornade ? demanda Lisa à Mme Reg.

– Je l'ignore. J'espère que non, car je doute que nous puissions l'aider à trouver un acquéreur. Max et moi n'avons pas l'habitude de vendre des chevaux de grande race comme pur-sang arabe alezan. Tornade vaut cher, conclut Mme Reg d'un air entendu.

Carole, Lisa et Steph se regardèrent, consternées. Il ne manquerait plus que Tornade quitte le Pin creux en même temps qu'Arizona !

– Donc, s'il vous plaît, soyez gentilles avec Veronica, recommanda Mme Reg. Je suis consciente que ce n'est pas franchement votre amie, mais elle aura besoin de soutien dans les jours prochains… Et toi aussi, ma petite Steph, ajouta-t-elle en souriant tristement. Nous avons reçu une copie du document qui t'interdit de monter Arizona…

Hélas, Steph, nous sommes tenus de respecter cet ordre. C'est la loi. À défaut, nous encourrons de graves sanctions.

Steph se sentit pâlir :

– Je… je n'ai même pas le droit de m'approcher d'Arizona ?

– Si, bien sûr, la rassura aussitôt Mme Reg. En fait, nous serions très heureux que tu continues à t'occuper d'elle ! Mais tu ne peux ni la monter, ni la sortir du Pin creux.

– D'accord, murmura Steph.

Elle éprouvait un léger soulagement. Au moins pourrait-elle passer quelques bons moments auprès de son cheval. Elle lui parlerait, le panserait… Ce serait mieux que rien.

– En attendant que l'affaire soit réglée, naturellement, tu peux monter Flamme, ajouta Mme Reg.

– Oh, merci, dit Steph. Je voulais justement vous demander l'autorisation. Merci encore, Madame Reg ! On y va, les filles ?

Une fois dehors, les trois amies se séparèrent pour préparer leurs montures. Steph gagna directement le box de Flamme. Le grand cheval bai l'accueillit avec un petit hennissement affectueux.

– Salut, toi…

La jeune fille lui caressa le flanc et le sella sans tarder. Cela lui ferait tout drôle de monter de nouveau Flamme… En quelques semaines, elle s'était habituée à Arizona : à la manière dont la jument évoluait, à sa taille, et surtout, à sa personnalité si particulière, si attachante… Sentant sa gorge se nouer, Steph prit une profonde inspiration. Allons, ce n'était pas le moment de se décourager !

Chevauchant Flamme, Steph se dirigea vers la carrière. L'air était doux, aussi les trois amies avaient-elles décidé de s'entraîner dehors. Comme Flamme attendait patiemment qu'elle lui signale ce qu'il devait faire, la jeune fille sourit. Au fond, Flamme était comme un vieil ami… Et il était très bien dressé, et très intelligent. Tous deux se connaissaient et se comprenaient à merveille. « Même si je ne peux pas monter

Arizona, avec Flamme, je battrai quand même Phil samedi prochain ! » pensa Steph, rassérénée. D'un léger coup de talons, elle invita sa monture à s'élancer et rejoignit Carole et Lisa.

– Je suis prête. Par quoi commence-t-on ?

– Hum… Les obstacles ? suggéra Carole après avoir réfléchi quelques secondes.

– Bonne idée, approuva Lisa. C'est l'une des épreuves les plus compliquées.

En un clin d'œil, les filles organisèrent un parcours : tonneaux vides, sacs de céréales, drapeaux et autres objets furent disposés çà et là sur le pourtour de l'arène. Au milieu, elles placèrent une botte de foin. Elles savaient que le jury tiendrait compte de l'habileté des cavaliers à franchir des obstacles le plus rapidement possible. Comme l'agencement de ce gymkhana ne serait décidé qu'à la dernière minute, il leur faudrait s'adapter et réagir très vite ! C'est pourquoi elles s'entraîneraient en imaginant diverses combinaisons de parcours.

Carole, la cavalière la plus expérimentée

– et la plus exigeante –, leur proposa de s'exercer à tour de rôle.
– Qui veut commencer ?
– Moi, dit Lisa.
Elle enfourcha Prancer et s'élança autour de l'arène. Tout se passa très bien, sauf à la fin : Prancer refusa de sauter par-dessus la botte de foin et la contourna.
– Oh là là ! On perdra des points si elle nous refait ça samedi prochain ! s'inquiéta-t-elle.
– Pour l'instant, restons optimistes, intervint Carole avec assurance. Prancer n'est peut-être pas en forme, c'est tout ! Souviens-toi qu'elle est encore débutante.
Lisa sourit. En effet, auparavant, la jument ne savait accomplir qu'une seule et unique chose : courir pour gagner des compétitions. La dresser afin qu'elle soit un cheval de manège était un défi !
– Tu as raison, soupira-t-elle en grattant affectueusement l'oreille de sa monture. Prancer a déjà tellement progressé que j'oublie parfois d'où elle vient.
– Bon, à moi de jouer ! annonça Steph.

Elle commença le parcours. Flamme réagit avec précision et vivacité quand elle le fit sauter par-dessus le premier tonneau. Lorsqu'il fallut se faufiler entre des seaux remplis d'eau, il montra la même agilité.
Puis ils parvinrent devant l'imposante botte de foin déposée au centre du manège. Les oreilles du cheval pointèrent vers l'avant, trahissant une soudaine inquiétude... Et il freina subitement. Steph tenta de le rassurer, mais elle comprit vite que c'était peine perdue : Flamme s'était solidement ancré dans le sol. Têtu comme une mule, il avait décidé de ne pas avancer ! Steph fut donc obligée de mettre pied à terre.
– Allez, viens ! l'encouragea-t-elle en s'élançant elle-même au-dessus du tas de foin. Regarde, ce n'est pas dangereux !
Flamme parut étonné. Mais, faisant confiance à la jeune cavalière, il leva lentement une jambe, ensuite une autre...
– Bravo ! s'exclama Steph. Encore !
Flamme secoua la tête. À l'évidence, il n'aimait pas du tout cet exercice ! Il renâcla,

souffla… Et, au lieu de franchir l'obstacle avec grâce et légèreté, il l'enjamba avec précaution.

– Bon, on va recommencer ! dit Steph, conciliante en s'apprêtant à l'enfourcher de nouveau. Écoute, Flamme, tu n'as pas à avoir peur… Et zut !

Son pied venait de glisser de l'étrier. Une impardonnable erreur de débutante !

– C'est parce que tu n'as plus l'habitude de le monter ! commenta Carole, qui avait remarqué l'incident. Arizona est moins grande que lui.

– Ce n'est pas une raison, marmonna Steph en se hissant en selle.

Il ne faudrait pas que cette maladresse se reproduise le jour du gymkhana…

Se ressaisissant, Steph reprit le parcours. Flamme hésita de nouveau quand il fallut sauter par-dessus la balle de foin, mais il finit par s'exécuter. Un peu lourdement, certes…

– C'est bien ! le félicita Steph. Bravo !

Mais ses paroles enthousiastes sonnaient

faux. D'autant qu'à présent il restait une épreuve que Flamme n'aimerait pas non plus : Steph devrait ramasser un drapeau planté sur un tonneau et le brandir jusqu'à la ligne d'arrivée. Or, lors d'un concours hippique, Flamme avait été effrayé par une cape qu'agitait un spectateur malveillant. Depuis, dès qu'il voyait une banderole ou un tissu similaire, il avait peur…

– Vous êtes sûres qu'il faut tenter ce coup-là ? demanda Steph à ses coéquipières.

– On n'a pas trop le choix, répondit Carole. Le drapeau est un grand classique des jeux équestres. Rassure Flamme !

– Oui, oui…

Steph murmura quelques paroles d'encouragement à Flamme tout en lui flattant l'encolure. Puis elle le guida jusqu'au tonneau et, d'un geste calme, elle prit le drapeau et le montra carrément à Flamme. Le cheval hennit et renâcla.

– Flamme, ce n'est pas dangereux ! répéta Steph. Regarde…

Un peu apaisé par la voix de sa cavalière, le

cheval regarda le drapeau. Il souffla de nouveau, piaffa, mais parut comprendre. Alors, soulagée, Steph put achever la course sans encombre.

– Pas génial, grommela-t-elle.

Carole et Lisa la rejoignirent.

– Évidemment, avec Arizona, tout serait plus simple, convint Carole. Elle est plus rapide, et surtout mille fois plus joueuse.

– Question de tempérament, admit Steph en tapotant affectueusement Flamme. Lui, il a fait ce qu'il a pu.

– Exact, renchérit Lisa. Flamme est doué pour le manège, mais pas pour les jeux.

« Pourvu qu'il y arrive ! » songea Steph. Mais elle n'y croyait guère. Flamme possédait d'autres qualités, incontestables. Hélas, le gymkhana, ce n'était pas son truc. Alors qu'Arizona…

– Bon, on ne se décourage pas, déclara Carole. Allez, en piste !

Les trois amies s'entraînèrent encore un quart d'heure avant de regagner les écuries.

– J'aimerais essayer d'autres exercices avec

Flamme, dit Steph. Carole, tu m'aideras ?
– Bien sûr. Quand tu veux, on…
Carole s'interrompit. Devant l'entrée du bâtiment, une jeune fille blonde discutait avec Mme Reg.
Chelsea Webber !

7

Steph sentit son sang se figer.

– Qu'est-ce qu'elle fabrique ici ? marmonna-t-elle.

– Steph, surtout, reste calme, lui conseilla Carole en surprenant le regard noir que son amie dardait sur Chelsea Webber.

– Oui, ne t'énerve pas, recommanda à son tour Lisa. Ça ne servirait à rien…

Facile à dire ! Pour Steph, la présence de Chelsea était une pure provocation.

La main crispée sur la bride de Flamme, elle s'approcha de Chelsea :
– Qu'est-ce que tu veux encore ? Tu me cherches, c'est ça ?
– Steph ! protesta Mme Reg d'un ton indigné.
– Oh, ne vous en faites pas, madame Reg, dit tranquillement Chelsea sans quitter Steph des yeux. Plus que quelques jours, et cette histoire sera terminée.
– Je l'espère, soupira Mme Reg. Steph...
Visiblement embarrassée, elle hocha la tête et ajouta :
– Chelsea attend son père. En ce moment, il est dans le box d'Arizona, en compagnie d'un vétérinaire.
– Un vétérinaire ? répéta Steph. Pourquoi...
« Le vétérinaire envoyé par le tribunal, chargé d'examiner Arizona ! » se rappela-t-elle tout à coup.
– Je vois, murmura-t-elle, la gorge nouée. Eh bien, je vais m'occuper de Flamme. On a pas mal travaillé...
Ignorant Chelsea, la jeune fille gagna la

stalle de Flamme. Carole et Lisa s'en allèrent aussi panser leurs montures. Lorsque les trois amies se retrouvèrent, Carole passa un bras autour des épaules de Steph et chuchota :

– Il vaut mieux ne pas s'attarder.

– Oui, partons, intervint Lisa à mi-voix en jetant un regard inquiet en direction de Chelsea Webber.

Celle-ci se tenait à présent devant le box d'Arizona. À ce moment-là, un homme brun – le vétérinaire, à l'évidence – passa la tête par-dessus le portillon :

– S'il vous plaît, j'aurais besoin d'un seau d'eau.

– Je vous l'apporte, répondit aussitôt Steph.

– Non, c'est moi ! lança sèchement Chelsea.

– Non, moi ! insista Steph d'un ton exaspéré.

– Mais c'est mon cheval ! s'écria Chelsea avec agressivité.

Le vétérinaire les contempla toutes deux,

l'air perplexe. Puis il ébaucha un sourire :
– Écoutez, en fait, j'ai besoin de deux seaux d'eau. Mais dépêchez-vous…
– Steph, as-tu entendu ? dit Mme Reg. Montre à Chelsea où on range les seaux !
Sans répondre, Steph se dirigea d'un pas vif vers la salle où était entreposé le matériel de soin. L'esprit en ébullition, elle ne vérifia même pas si Chelsea la suivait.
– Elle est à moi, et tu le sais bien, lança Chelsea en la rattrapant.
Steph lui jeta un bref coup d'œil par-dessus son épaule. Toutes deux s'étant éloignées de l'allée principale des écuries, plus personne ne les entendait.
– Tu mens ! s'exclama-t-elle d'un ton rageur. Arizona m'appartient. Cette histoire est ridicule.
– Ridicule ? C'est toi qui es ridicule ! siffla Chelsea. Punk a toujours été à moi ! Et le vétérinaire le prouvera : il va effectuer un test qui montre qu'elle est allergique à certaines mauvaises herbes !
Médusée, Steph la fixa. Comment Chelsea

était-elle au courant de ce problème ? En effet, Arizona avait souffert, quelques semaines plus tôt, de mystérieuses poussées d'urticaire[1]. La jeune fille avait établi un rapport entre ces crises et de mauvaises herbes que son cheval adorait manger. Le vétérinaire avait alors confirmé qu'Arizona y était allergique…

– J'ai raison, pas vrai ? triompha Chelsea. Pff… Tu devrais avouer la vérité. Moi, je veux juste récupérer mon cheval.

La gorge sèche, Steph pénétra dans la salle de matériel et s'empara de deux seaux. Sans un mot, elle en tendit un à Chelsea, puis remplit le sien. Chelsea l'imita en sifflotant avec une gaieté ostensible. « Elle le fait exprès ! » songea alors Steph. Refoulant à grand-peine ses larmes, elle se hâta de retourner au box.

– Oh, Steph, ne te mets pas dans un état pareil ! lui dit Mme Reg, peinée. Tout va s'arranger…

1. Lire *Une étrange maladie*, n° 631 de la série Grand Galop.

– On verra, la coupa sèchement Steph.

Elle apporta le seau au vétérinaire, qui se trouvait dans la stalle d'Arizona. Après avoir salué M. Webber d'un bref signe de tête, la jeune fille regarda son cheval. Arizona était splendide, tranquille, et si douce...

– Ça va, ma toute belle ? murmura-t-elle tristement.

Arizona secoua la tête, comme pour lui répondre par la négative. Alors, cédant à une impulsion, Steph s'avança et enlaça tendrement le cou de la jument. Mais, contre toute attente, Arizona se redressa et émit un léger hennissement. Surprise, Steph se retourna. Chelsea se tenait à l'entrée du box. Arizona l'avait vue, et elle l'accueillait comme une vieille connaissance. Arizona saluait réellement l'arrivée de Chelsea...

La vue de Steph se brouilla. Aveuglée par les larmes, elle quitta précipitamment le box et courut rejoindre Lisa et Carole.

– Venez, on s'en va !

Mme Lake posa une assiette de biscuits au chocolat sur la table de la cuisine et invita Steph, Carole et Lisa à se servir. Mais aucune des trois filles n'avait faim. Même par gourmandise, elles n'auraient rien pu avaler.

– J'ai l'impression d'être en plein cauchemar, murmura Steph.

Elle s'en voulait d'avoir fui de la sorte. Tout à l'heure, au Pin creux, elle aurait dû faire face à Chelsea et au vétérinaire. Elle aurait dû attendre le résultat du test d'allergie... Mais elle en avait été incapable. Soudain, affronter la fille Webber lui avait semblé au-dessus de ses forces.

– C'est normal, dit tristement Carole.

– Steph, tu crois que Mme Reg et Max y sont pour quelque chose ? demanda Lisa.

– Non... Non, pas eux, répéta Steph, pensive. Mais les Webber ont forcément un complice. Chelsea n'est pas du Pin creux. Elle fréquente le club Mendenhall.

– Qui doit participer aux jeux équestres de samedi prochain, observa Lisa.

– C'est vrai, j'ai vu le nom de ce centre sur la liste des participants, confirma Carole. Voilà qui explique tout ! Chelsea Webber est venue au Pin creux pour prendre connaissance des lieux avant les jeux, et elle a remarqué Arizona.

Steph hocha la tête.

– C'est bizarre, mais j'ai l'intuition qu'il y a une autre explication, murmura-t-elle. Cette Chelsea est si agressive… comme si elle avait un compte à régler.

Tout le monde se tut quelques instants. Puis Mme Lake déclara en souriant :

– Steph chérie, ne sois pas trop inquiète. Mes associés s'occupent de l'affaire et préparent notre défense. Attendons patiemment les conclusions de l'enquête.

– Je déteste attendre, gémit Steph. Je ne suis pas patiente !

Carole, Lisa et Mme Lake échangèrent un regard compatissant. À ce moment-là, le téléphone sonna. Mme Lake alla répondre :

– Allô ? Oui… Ah, d'accord… Vous en êtes sûr ?

À l'expression de sa mère, Steph devina que l'appel concernait Arizona. Et, une fois de plus, les nouvelles devaient être mauvaises.

8

Incapable de contenir son anxiété, Steph se leva d'un bond :

– Qui a appelé, maman ?

– Je vais t'expliquer, ma chérie, dit Mme Lake. Mais, avant, promets-moi de ne pas t'énerver.

Steph prit une profonde inspiration. Pour que sa mère réagisse ainsi, ce devait être très grave.

– Promis…

– C'était l'avocat des Webber, déclara alors Mme Lake. Le vétérinaire a donné son diagnostic : il s'agit bien du même cheval. Punk est Arizona.
Lisa et Carole étouffèrent un cri de stupeur.
– Courage, Steph, murmura Carole en lui prenant la main.
Mais Steph restait comme paralysée. Elle était en état de choc.
– Et comment… comment le sait-il ? balbutia-t-elle finalement.
– Le vétérinaire a identifié la robe d'Arizona, répondit sa mère d'un ton embarrassé. Il a aussi reconnu l'allergie dont elle souffre. D'autre part, comme tu sais, Arizona a eu une légère fêlure d'une des jambes… Eh bien, les Webber ont apporté une radiographie prise avant et après la guérison du cheval. Aujourd'hui, la radio faite par le vétérinaire montre exactement la même cicatrice osseuse. Et cela, malheureusement, c'est une preuve irréfutable.
– Irréfutable ? répéta Steph d'une voix sourde.

– Oui, ma chérie. Arizona est Punk… Le vétérinaire l'a bel et bien démontré.
Un lourd silence s'abattit sur la pièce. Steph enfouit le visage dans ses mains. Des larmes brûlantes lui montaient aux yeux. « C'est fini. Je serai séparée d'Arizona pour toujours… » À cette pensée, la jeune fille éclata en sanglots.
– Oh, Steph…, murmura Mme Lake avec compassion.
Elle enlaça tendrement sa fille et l'incita à s'asseoir de nouveau.
– Ne désespère pas ! Le juge n'a pas encore rendu son verdict, ajouta-t-elle. Cela nécessitera une bonne semaine. D'ici là, tu reverras Arizona. Et, qui sait, peut-être arriveras-tu à t'entendre avec Chelsea Webber ?
– Jamais ! s'écria Steph d'une voix étranglée.
Lisa et Carole ébauchèrent le même sourire triste. Croisant leur regard, Steph renifla, essayant de se calmer. Mais son cœur cognait si violemment qu'elle en éprouvait une sensation de vertige. Dans un état

second, elle se leva et quitta la pièce.
– Steph, n'oublie pas les jeux de samedi prochain ! lança Carole.
– Garde le moral ! renchérit Lisa.
Steph ne leur répondit même pas. Gagner ou perdre au gymkhana ? À cet instant, elle s'en moquait éperdument.
Elle se moquait de tout, sauf de perdre Arizona.

Samedi après-midi, comme chaque semaine, Steph se rendit au Pin creux. Elle se sentait toujours aussi déprimée, mais espérait que la compagnie de Lisa, de Carole et des chevaux lui remonterait le moral. Finalement, elle avait écouté ses deux meilleures amies : elle poursuivrait l'entraînement avec Flamme.
– Salut !
Plongée dans ses réflexions, Steph n'avait pas remarqué Veronica. Celle-ci arrivait en même temps qu'elle.
– Bonjour, répondit Steph à contrecœur. Ça va ?

– Non, pas trop, soupira Veronica.
Steph lui jeta un coup d'œil intrigué. Qu'est-ce qui pouvait bien démoraliser cette fille qui ne manquait de rien ? Puis elle se remémora ce que Mme Reg leur avait confié au sujet du père de Veronica. Elle décida néanmoins de faire comme si elle n'était pas au courant :
– Que se passe-t-il ?
– Eh bien, toi et moi, on est dans le même bateau, annonça Veronica sans détour. On risque toutes les deux d'être séparées de notre cheval.
Steph avala péniblement sa salive :
– Pour moi, c'est sûr. Le verdict est tombé : Arizona appartient à Chelsea Webber.
– Ah bon ?
Veronica la regarda d'un air sincèrement désolé.
– C'est triste. Vraiment triste. Il faut que tu sois courageuse… Il faut qu'on soit courageuses, ajouta-t-elle, la voix soudain brisée.
– Pourquoi ? Tu crains réellement de perdre Tornade ?

Veronica acquiesça. Puis elle dit :
– Je n'en dors plus ! Je n'aurais jamais cru que ça me toucherait à ce point, mais…
Brusquement, ses yeux s'emplirent de larmes.
– Papa va peut-être se retrouver au chômage, et… et il faudra vendre Tornade ! sanglota-t-elle.
Steph la contempla avec stupeur. Jamais elle n'avait vu la fière Veronica dans un état pareil !
– Allez, courage ! dit-elle, en lui serrant affectueusement l'épaule.
– C'est ce qu'on doit te dire à longueur de journée ! ironisa Veronica, en essuyant ses larmes.
Steph lui rendit son sourire. Depuis qu'elle connaissait Veronica, c'était la première fois qu'elle avait envie de lui parler comme à une amie… Après tout, toutes deux traversaient une épreuve similaire.
– Il faut se battre ! affirma-t-elle.
À cet instant, Carole et Lisa arrivèrent. Elles remarquèrent immédiatement que Veronica était bouleversée.

– Hum… Vous êtes prêtes à travailler ? demanda Carole d'un ton sceptique en regardant Steph, puis Veronica.
– Aucun problème, répondit Steph.
– On n'a pas le choix, renchérit Veronica avec un sourire forcé. Surtout si on veut gagner !
Carole, Lisa et Steph échangèrent un regard étonné. Veronica qui manifestait un esprit d'équipe ! Était-ce parce que, tout à coup, elle risquait de ne plus être une riche héritière ? Disparus, les privilèges… Il lui faudrait apprendre à se comporter comme tout le monde !
Les quatre filles gagnèrent les écuries. En passant devant le box d'Arizona, Steph s'arrêta quelques secondes et caressa doucement le front de la jument.
– Je reviendrai te voir tout à l'heure, ma belle, chuchota-t-elle, le regard rivé à celui de l'animal.
Sentant son cœur se serrer, Steph ne s'attarda pas. Elle dut faire un effort pour chasser les idées noires qui, de nouveau,

l'assaillaient. Elle sella Flamme et se dépêcha de retrouver Carole, Lisa et Veronica. Max, qui voulait qu'elles mettent toutes les chances de leur côté, les avait autorisées à utiliser le manège pendant une heure. Normal ! La deuxième équipe qui représenterait le Pin creux lors des jeux équestres était nettement moins douée…

Rien n'allait plus. Remarquant l'expression perplexe de Lisa et Carole, Steph devina qu'elles pensaient la même chose. Même Veronica esquissait une moue inquiète. Elles avaient ramené les chevaux plus tôt que prévu, et à présent elles tenaient un véritable conseil de guerre à l'arrière des écuries. Car, décidément, non, rien n'allait plus…
Flamme n'était absolument pas le cheval idéal pour participer au gymkhana. Durant l'entraînement, il n'avait cessé de renâcler et il avait refusé de franchir un obstacle. Pire encore, il avait carrément fait demi-tour alors que Steph lui avait demandé de sauter par-dessus une haie de seaux d'eau !

Veronica passa une main impatiente dans ses longs cheveux :
– Alors, que proposez-vous ? Pour moi, il n'y a qu'une solution : remplacer Flamme !
Les trois amies se regardèrent. Veronica venait d'exprimer ce que chacune pensait secrètement. « Remplacer Flamme… Oui, mais par quel cheval ? » songea-t-elle, la gorge nouée par l'appréhension. Si seulement elle avait pu monter Arizona… Rien qu'une fois, une seule fois, pour les jeux ! Même sans entraînement, la jument serait meilleure que Flamme.
À ce moment-là, un reflet cuivré dans la chevelure de Veronica capta l'attention de Steph. Normalement, Veronica avait des cheveux brun foncé. Mais, grâce à une habile coloration, elle avait des mèches rousses… D'un roux tout à fait naturel.
Mais oui, bien sûr !
– Génial ! murmura Steph. J'ai une idée ! Et si on teignait la robe d'Arizona ? Ça me permettrait de la monter samedi prochain sans que personne la reconnaisse !

Les trois autres filles échangèrent un regard éberlué.

– Steph, tu délires, soupira Lisa.

– Ça, c'est du pur Steph ! renchérit Carole avec un sourire indulgent. On n'est pas au cinéma, et…

– Écoutez-moi ! l'interrompit Steph d'un ton vif.

Elle prit une profonde inspiration :

– La robe de Flamme est brune, non ? Comme celle d'Arizona. Et, de loin, qu'est-ce qui les distingue ? Les marques blanches qu'Arizona a sur les jambes ! Imaginez qu'on les colore…

– Avec quoi ? intervint Carole.

– De la teinture ! Regardez les cheveux de Veronica, lança Steph en désignant les mèches de la jeune fille. Pourquoi ça ne marcherait pas sur un cheval ? Leurs poils et les nôtres sont de la même nature !

– Pas vraiment, mais admettons, dit Veronica. Théoriquement, la teinture peut fonctionner. Mais n'oublie pas que Chelsea sera là, samedi prochain. Elle connaît bien

Arizona. Elle ne sera pas dupe !

Steph haussa les épaules :

– Peut-être pas. Chelsea a cru reconnaître son cheval, elle n'en était pas sûre. C'est le vétérinaire qui a eu le dernier mot. Ça vaut la peine de courir le risque… Dans ce cas, et seulement dans ce cas, on a une chance de gagner les jeux. Arizona est tellement douée !

Steph prononça ces paroles avec une impatience mêlée de joie. Au fond, elle ne pensait qu'à une seule chose : monter de nouveau Arizona…

Carole et Lisa se consultèrent en silence, et secouèrent la tête en même temps. Mais, contre toute attente, Veronica déclara :

– Steph a raison. Pourquoi ne pas tenter le coup ? Je sais comment réaliser une teinture… une belle teinture, qui ne se remarque pas. Je peux t'aider, Steph.

– Tu veux bien ? Vraiment ? fit Steph.

– Oui. Il suffit de trouver un produit capillaire qui ne provoque pas d'allergie, et de choisir la bonne couleur, précisa tranquillement Veronica.

Carole et Lisa échangèrent un regard, puis sourirent.

– Après tout, pourquoi pas ? dit Carole. On n'a rien à perdre…

– Ça, c'est moins sûr, répliqua Lisa. Si on se fait prendre, on risque gros ! Mais je suis partante.

Steph les contempla silencieusement.

– Merci, les filles, murmura-t-elle enfin, la voix étranglée par l'émotion. Merci…

Encore un peu, et elle aurait proposé à Veronica de faire partie du Club du Grand Galop…

9

Ce samedi-là, à l'aube, Veronica, Lisa, Carole et Steph se retrouvèrent au Pin creux, dans la stalle d'Arizona. C'était le grand jour... Steph l'avait attendu avec une telle impatience ! Durant la semaine, elle n'avait cessé de se répéter la même chose : « Personne ne remarquera rien. Arizona sera méconnaissable... » Une assurance inébranlable avait gagné la jeune fille, et son moral était remonté en flèche.

– Heureusement, hier soir, mes parents ne m'ont posé aucune question, chuchota Veronica.
– C'est ton chauffeur qui t'a accompagnée tout à l'heure ? demanda Carole avec un sourire entendu.
Veronica acquiesça :
– Il est encore à notre service. Mon père et ma mère ne se seraient pas levés aussi tôt un samedi !
Carole, Lisa et Steph n'en revenaient pas : Veronica était-elle en train de devenir plus sympathique ? Si tel était le cas – et apparemment, ça l'était ! –, cela tenait du miracle ! Pour leur part, elles s'étaient donné rendez-vous chez Carole, et c'était M. Hanson qui les avait amenées. Il n'avait pas paru surpris de les voir se préparer si tôt. Pour lui, les jeux équestres méritaient qu'on fît un tel effort !
– Tu as tout ce qu'il faut ? demanda Steph.
En guise de réponse, Veronica ouvrit son sac à dos et en extirpa plusieurs fioles, un peigne, deux pinceaux, un gros et un petit,

un bol pour effectuer le mélange des teintures et des gants en caoutchouc. Tandis qu'elle disposait le matériel par terre, près de la mangeoire d'Arizona, la jument suivait ses gestes avec une étonnante attention.

– On dirait qu'elle sait, murmura Lisa, le regard fixé sur la jument Arizona.

– Oui, fit Steph en souriant. Elle comprend tout…

Puis les quatre filles ne parlèrent plus, absorbées par la délicate mission qu'elles devaient réaliser : maquiller Arizona, mais aussi Flamme… Pour que la mascarade soit parfaite, il fallait qu'un cheval reste dans le box d'Arizona pendant toute la durée des jeux ! Carole avait donc suggéré de moucheter les pattes et le front de Flamme à l'aide de cirage blanc : de loin, l'effet rappellerait le marquage distinctif d'Arizona. Et Flamme prendrait la place d'Arizona à l'écurie.

En moins d'une heure, tout fut achevé. Avec une impressionnante dextérité, Veronica teignit les taches blanches d'Arizona. La jument se laissa faire, docile et confiante, comme si elle devinait l'importance du rôle qu'elle s'apprêtait à jouer. Seul petit problème imprévu : les filles furent obligées de changer la paille salie par la teinture.

– J'espère que Max ne s'en apercevra pas, dit Carole à voix basse en mélangeant la paille colorée à du fourrage usagé et prêt à être jeté.

– Ne t'inquiète pas, il aura d'autres chats à fouetter, la rassura Steph. Il lui faudra accueillir tous les participants !

À huit heures moins le quart, Flamme, métamorphosé par un drôle de point d'exclamation à l'envers sur le nez, gagnait le box d'Arizona. Quant à la fougueuse jument qui se tenait dans la stalle de Flamme, elle était à présent entièrement brune. Sellée et frémissante, elle attendait avec impatience de sortir. Les filles terminèrent juste à temps. Quelques minutes de plus, et Bob, le palefrenier, les aurait surprises en flagrant délit…

Sous un soleil radieux, les différentes équipes participant au gymkhana arrivaient au Pin creux. Une main sur la bride d'Arizona, méconnaissable, Steph parcourut la foule du regard. Un peu plus loin, Adam Levine, Meg Durham, Simon Atherton et Polly Giacomin – la deuxième équipe du Pin creux – s'étaient déjà rassemblés. Le club Mendenhall présentait deux équipes de quatre cavaliers, dont Chelsea Webber. Malgré l'effervescence qui régnait dans le centre, Steph la repéra en un éclair, à une centaine de mètres. L'adolescente, juchée sur un grand cheval gris, discutait avec Mme Reg. Apparemment, elle n'avait pas vu Steph. Tant mieux…
Steph se hissa sur Arizona et s'avança prudemment, cherchant Phil des yeux. Son petit ami se trouvait avec les autres membres du club du Cross County, de l'autre côté de la vaste arène où se déroulerait la compétition. L'apercevant, Phil agita le bras. Il n'avait pas été mis dans la confidence, aussi croyait-il que Steph montait Flamme… Le sourire aux

lèvres, la jeune fille rejoignit les autres cavaliers du Pin creux. Max était en train de les passer en revue.

– Coucou, chuchota la jeune fille à Carole en se plaçant à côté d'elle.

– Ça va ? lui demanda Carole sans la regarder.

– Oui, oui…

Steph croisa les doigts : Max s'approchait déjà. « Pourvu qu'il ne remarque rien », pensa-t-elle, plus anxieuse qu'elle ne voulait se l'avouer. Le propriétaire du Pin creux examina Diablo avant de se tourner vers Arizona. Il fronça les sourcils, puis une intense stupeur se peignit sur son visage. Bouche bée, il contempla Steph :

– C'est une plaisanterie ?

Steph sentit la panique l'envahir. En une seconde, Max avait découvert la vérité…

– Non. Je n'avais pas le choix, murmura-t-elle en soutenant le regard du moniteur. Vraiment pas le choix.

Des larmes lui piquèrent les paupières, mais elle les retint bravement. Ce n'était pas le moment de craquer ! À cet instant, Arizona avança la tête pour mordiller les cheveux de Max. D'un geste doux mais ferme, Max la repoussa. Puis, à voix basse, il demanda à Steph :

– Tu ne crois pas que les gens vont le remarquer ?

– Personne ne s'en apercevra si vous ne dites rien, répliqua Steph, le souffle coupé par sa propre audace.

Max la dévisagea, l'air à la fois perplexe et indulgent :

– Que veux-tu que je dise ?

Sur ce, il se dirigea vers Veronica et Tornade. Veronica adressa un sourire triomphant à Steph. À sa gauche, Lisa, sur Prancer, leva le pouce en signe de victoire en même temps que Carole. Steph poussa un soupir de soulagement. Max était dans leur camp… Il ne trahirait pas leur secret.

Les jeux se déroulèrent dans une ambiance joyeuse et décontractée. Relais, courses d'obstacles… tout fut organisé avec précision par Max et Mme Reg, aidés des représentants des autres clubs hippiques. Le public, chaleureux, encourageait les cavaliers. Très vite, trois équipes se placèrent en tête : celle de Steph, celle de Phil, et celle de Chelsea… Pour les départager, une ultime épreuve éliminatoire fut donc proposée : une course de relais, avec un drapeau. Steph jubilait. Si elle avait monté Flamme, elle n'aurait sûrement pas été performante ! Aussi, quand vint son tour, s'élança-t-elle sur la piste avec une confiance totale.

– Tiens ! cria-t-elle en brandissant l'étendard à Veronica, qui galopait devant elle.

Mais au moment où elle allait lui passer le drapeau, quelque chose d'imprévisible se produisit : Arizona tourna la tête et attrapa la banderole à pleines dents ! Malgré elle, Steph éclata de rire. Elle tira sur le tissu :

– Hé, lâche-le, Ar…

Elle se mordit la langue presque jusqu'au sang. Un peu plus, et elle appelait Arizona par son nom ! « C'est malin ! » songea-t-elle. Soulagée de ne pas avoir gaffé, elle se déconcentra un peu et ralentit l'allure. La jument dut sentir qu'il y avait un problème, car elle relâcha la pression de ses mâchoires. D'un geste vif, Steph arracha le drapeau et repartit au galop pour le donner à Veronica. Hélas, la plaisanterie d'Arizona leur avait fait perdre de précieuses secondes… Et lorsque le jury se réunit pour proclamer les résultats, Steph s'attendit à un score médiocre.

– Le champion du jour est… le club Mendenhall ! annonça Max. Le Pin creux arrive en second. Et en troisième place, c'est le club du Cross County !

Steph, Carole, Lisa et Veronica poussèrent un cri de triomphe. D'accord, le Pin creux n'était pas le grand vainqueur, mais être deuxième, c'était pas mal… surtout compte tenu des circonstances. Et, en son for intérieur, Steph éprouva une autre satisfaction : elle avait battu Phil…

Quelques instants plus tard retentirent des roulements de tambour : on allait distribuer les récompenses. Les cavaliers reçurent des médailles, leurs chevaux furent ornés de magnifiques macarons multicolores. Une belle cérémonie !

– Quand même, on s'est bien débrouillées, chuchota Lisa, qui venait de se rapprocher de Steph, Carole et Veronica.

– On n'a pas été les meilleures, mais presque, renchérit Carole.

– Si Ar… si mon cher cheval n'avait pas eu la bonne idée d'attraper le drapeau, on aurait sûrement gagné, compléta Steph avec bonne humeur.

C'est alors qu'elle croisa le regard de Chelsea. La jeune fille la fixait intensément, et Steph crut percevoir une lueur de défi dans ses yeux. Aussitôt, elle détourna la tête, mal à l'aise. À présent, il fallait agir le plus vite possible. Si Chelsea se rendait compte que Steph montait Arizona, la sanction serait terrible.

10

Cette nuit-là, blottie au fond de son lit, Steph eut du mal à s'endormir. Le regard que Chelsea lui avait lancé la hantait... Pourtant, les festivités s'étaient achevées dans la joie et la bonne humeur. Pendant que Max, jouant jusqu'au bout son rôle de complice, retenait l'attention de Chelsea et de son équipe, Steph avait ramené Arizona à l'écurie. Veronica, incroyablement gentille, avait réussi à entraîner Bob à l'extérieur...

Alors, sans perdre une seconde, aidée de Carole et Lisa, Steph avait nettoyé la jument avec le produit que Veronica avait entreposé dans une cachette. Après quoi, Arizona avait regagné son box habituel, et Flamme, démaquillé, le sien. Le tour était joué…
Et Chelsea Webber n'avait rien remarqué. Ni les parents de Steph, d'ailleurs. Heureusement ! S'ils avaient découvert le pot aux roses, ils l'auraient sévèrement grondée…
Mais, à présent, ce bref triomphe cédait la place à l'inquiétude. Et, dans l'obscurité de sa chambre, les yeux grands ouverts, Steph luttait contre un mauvais pressentiment. Elle ne pouvait oublier cet étrange regard que lui avait adressé Chelsea Webber… Un regard plein de menaces.

Lundi soir, quand Steph rentra de l'école, M. et Mme Lake l'attendaient au salon. Tous deux avaient l'air si préoccupé que Steph comprit aussitôt.
– Le… le tribunal a rendu son verdict ?

Ses parents acquiescèrent d'un signe de tête.
– Et on a perdu ? J'ai perdu Arizona ? Dites-moi ! supplia Steph en laissant tomber son cartable.
– C'est terrible, ma chérie, murmura sa mère d'un ton triste. Il faut la rendre à la famille Webber au plus tard demain.
– Demain ? s'écria Steph.
Un coup de poing en plein ventre lui aurait fait le même effet. Pourtant, elle s'était préparée au pire... Elle avait imaginé le pire. Mais là, le pire devenait réalité. Tout était fini. Il n'y avait plus d'espoir.
– Oh, non..., souffla-t-elle. Non !
Les larmes jaillirent de ses yeux, et elle se mit à sangloter sans pouvoir se retenir.
– Ma chérie, ma pauvre chérie ! dit sa mère en la prenant dans ses bras.
Aveuglée par son chagrin, Steph la repoussa et courut s'enfermer dans sa chambre. Et là, elle pleura, pleura... Agitée de sanglots, elle refusa de dîner. Elle ne voulut même pas parler à Carole et Lisa, à qui ses parents téléphonèrent en espérant qu'elles sauraient

la consoler. Mais Steph était inconsolable.

Mardi après-midi, Steph fut dispensée d'aller en cours. À 15 heures, son père devait emmener Arizona chez les Webber, et elle avait exigé de l'accompagner. Le voyage allait être pénible, mais elle ne pouvait envisager de se séparer de son cheval au Pin creux. Elle décida de profiter de l'heure du déjeuner pour voir sa jument une dernière fois.

Lorsque Steph franchit le seuil des écuries, Carole préparait Diablo pour une reprise. Entendant son amie, elle sortit du box et s'avança :

– Steph, j'ai appris la nouvelle… Tu veux qu'on discute ?

Steph secoua la tête, au bord des larmes. Bouleversée, Carole la serra contre elle :

– Ne dis rien, je comprends…

La gorge serrée, Steph balbutia :

– Mon père vient nous chercher dans une heure. Max nous prête un van pour qu'on emmène Arizona chez les Webber.

– Tu veux vraiment y aller ?
– Oui, murmura Steph.
Carole la dévisagea quelques secondes, perplexe et anxieuse :
– Steph, ce sera un moment très, très dur. Si tu veux, on vient avec toi, Lisa et moi. Lisa ne va pas tarder, et…
– Merci, mais ça ira, l'interrompit doucement Steph. En fait, je préfère être seule.
Carole ébaucha un sourire triste.
– Je comprends, répéta-t-elle. Si tu as besoin de quoi que ce soit, n'oublie pas qu'on est là.
– Merci.
Steph se détourna et gagna le box d'Arizona. La jument l'accueillit en lui reniflant les cheveux. Émue, la jeune fille lui enlaça le cou et huma son odeur un peu épicée. Elle eut l'impression que la chaleur et la force d'Arizona se répandaient en elle, comme pour lui insuffler du courage.
– Salut, ma beauté, chuchota-t-elle. C'est notre dernier jour ensemble… Ça mérite bien un traitement spécial, non ?

Refoulant les sanglots qui lui serraient la gorge, Steph étrilla Arizona avec le plus grand soin. Elle lui brossa le crin, lustra sa robe et graissa ses sabots.

– On se reverra peut-être, murmura-t-elle. Un jour, plus tard… On ne sait jamais ce que l'avenir nous réserve, pas vrai ?

Il restait de légères traces de teinture sur la tête et les jambes de la jument, et la jeune fille les ôta avec délicatesse. À l'aide d'une éponge humide, elle lui nettoya le coin des yeux et la commissure des lèvres.

– Quelle drôle de vie, quand même… Tu as deux maîtresses, tu te rends compte ? Deux ! Enfin, bientôt, tu n'en auras plus qu'une. J'espère qu'elle s'occupera bien de toi…

Tandis que Steph lui parlait, Arizona soufflait légèrement en bougeant les oreilles, comme si elle comprenait ces paroles de tendresse et d'adieu.

– Enfin, si on ne se revoit plus, sache que j'ai été très, très, très heureuse de t'avoir connue, dit Steph en caressant entre les yeux la jument du bout des doigts. Au revoir, mon

Arizona… Je ne peux pas t'appeler Punk, tu vois. Pour moi, tu resteras Arizona. Et je ne t'oublierai jamais…

Le cheval ferma les paupières, sensible à l'atmosphère particulière de ce moment. Et Steph sentit les larmes ruisseler sur ses joues.

– Oh, non, je ne dois plus pleurer, marmonna-t-elle d'un ton rageur. Sinon, je vais me transformer en fontaine… Moi, Steph, une fontaine ? Ce n'est pas du tout mon genre, hein ?

Elle prit une profonde inspiration et tapota affectueusement le flanc d'Arizona :

– Voilà, tu es magnifique. Je suis fière de toi !

Puis elle quitta le box précipitamment et sortit des écuries. Quelques instants plus tard, son père arriva, et Bob O'Malley lui donna les clés du van garé non loin.

– Tu es prête, ma chérie ? demanda M. Lake.

Steph acquiesça d'un bref signe de tête. Bob amena Arizona et la fit monter dans le véhicule. Une fois les portes fermées, Steph s'installa dans la cabine. Elle aurait aimé rester à l'arrière, avec Arizona, mais elle savait que cela aurait été dangereux, tant pour le cheval que pour elle. Durant le trajet, elle se contenta donc de garder le nez collé contre la paroi vitrée, les yeux rivés sur Arizona.

– M. Baker nous rendra l'argent, bien sûr, et lui-même se fera rembourser par l'agent à qui il a acheté le cheval, déclara son père. On finira peut-être par découvrir qui a volé Arizona…

Steph demeurant obstinément muette, M. Lake finit par se taire, lui aussi. Bientôt – trop vite ! –, ils empruntèrent un long chemin de graviers creusé d'ornières. M. Lake roulait prudemment. Il passa devant une grande ferme aux murs blancs et se gara devant un bâtiment plus petit, de l'autre côté d'une cour plantée d'arbres.

– Nous y sommes, soupira-t-il en coupant le contact.

Steph déglutit, contenant difficilement ses larmes. Mais elle s'était juré de ne plus pleurer… En tout cas, pas devant la famille Webber !

– Nous devons y aller, ma chérie, ajouta doucement son père.

– Je sais, Papa. Je sais.

11

Steph ouvrit la portière et descendit du van. Au même instant, Chelsea se précipita vers eux. Ses parents et une jeune fille – probablement la sœur de Chelsea –, la suivaient. Tandis que M. Lake les saluait, Steph fit sortir Arizona.

– Le voyage est terminé, ma belle, murmura-t-elle en guidant le cheval sur la rampe d'accès.

La famille Webber était restée silencieuse,

en retrait. Puis Chelsea s'avança et caressa gentiment la jument.

– Salut, ma Punk... Merci de l'avoir ramenée, dit-elle à Steph, l'air un peu gêné. Tu veux l'accompagner à l'écurie ? proposa-t-elle après une brève hésitation.

Steph se figea. Ça, ce n'était pas prévu... Mais quitter Arizona sur-le-champ lui aurait brisé le cœur.

– D'accord, fit-elle.

Emboîtant le pas à Chelsea, Steph mena Arizona dans le petit bâtiment devant lequel M. Lake s'était garé : une écurie pas très spacieuse, mais bien agencée et confortable. Elle n'abritait qu'un seul cheval : un grand hongre gris, celui que Chelsea avait monté lors des jeux équestres.

– C'est Silverado. Mes parents l'ont emprunté pour moi quand Punk a été volée, expliqua Chelsea. Voilà le box de Punk, précisa-t-elle en s'arrêtant devant une stalle vide. Je l'ai préparé.

La gorge serrée, Steph croisa le doux regard brun d'Arizona. Une fraction de seconde, elle imagina s'enfuir avec son cheval, loin, très loin… Un sanglot lui secoua la poitrine. Si seulement c'était possible… Baissant les yeux, la jeune fille tendit la longe à Chelsea :

– Tiens. Prends-la.

Le visage inexpressif, Chelsea conduisit la jument dans son box. Steph l'entendit lui parler avec affection, et Arizona souffla plusieurs fois, comme pour lui répondre. Alors, Steph refoula ses larmes, envahie par des sentiments contradictoires. D'un côté, elle savait qu'il était normal, logique, que le cheval revienne à Chelsea puisqu'elle était sa véritable maîtresse… Mais elle aussi aimait Arizona, de tout son cœur ! Ce cheval merveilleux lui manquerait douloureusement… Il lui faudrait du temps, beaucoup de temps, pour se remettre de cette séparation. Si elle s'en remettait un jour !

Quelques instants plus tard, Chelsea sortit de la stalle, et Arizona passa la tête pardessus la porte pour lui mordiller les cheveux.

– Ah, elle n'a pas changé ! s'esclaffa Chelsea.
Puis, ébauchant un petit sourire, elle demanda à Steph :
– Elle faisait pareil avec toi ?
– Oui, pareil, murmura Steph.
Chelsea regarda la jeune fille, sourit de nouveau, un peu tristement. Pour la première fois, ses yeux reflétaient de la compassion :
– Je me doute que c'est un moment difficile, tu sais. Si tu veux lui dire au revoir… Je t'attends dehors.
– Merci.
Dès que Chelsea se fut éloignée, Steph entra dans le box et jeta un regard curieux autour d'elle. La paille était fraîche, l'espace agréable et aéré.
– Pas mal, ta nouvelle maison, chuchota-t-elle à Arizona en lui grattant affectueusement les oreilles. Chelsea t'aime, c'est sûr. Toi et moi, on se reverra peut-être à des concours…
La voix brisée, Steph enfouit le visage dans le cou du cheval et laissa couler des larmes silencieuses.

– Au revoir, balbutia-t-elle tout bas. Je te souhaite des milliards de bonnes choses pour la vie…

Comme pour l'aider à se ressaisir, Arizona lui mordilla les cheveux. Riant et pleurant en même temps, Steph lui ébouriffa la crinière. Elle s'essuya les paupières :

– Tu as raison, il vaut mieux que j'y aille.

Elle prit une profonde inspiration, donna une dernière caresse à Arizona et sortit sans se retourner. Dehors, son père, Chelsea et M. et Mme Webber l'attendaient.

– Viens, ma chérie, on rentre, dit doucement M. Lake.

Il serra poliment la main à M. et Mme Webber, puis à Chelsea. Muette, les dents serrées pour contenir ses sanglots, Steph fit de même. Ensuite, elle grimpa dans le van, et son père se glissa au volant. Il démarra aussitôt.

Durant le trajet du retour, Steph ne souffla mot, les yeux tournés vers le paysage vallonné qui défilait de l'autre côté de la vitre. Mais, le regard brouillé, l'esprit engourdi par le chagrin, elle ne voyait rien. Son père, qui tenta de lui adresser la parole pour la consoler, comprit rapidement que cela ne servirait à rien.

Les jours suivants, Steph ne cessa de pleurer. À l'école, pendant les cours, elle devait faire un effort pour ne pas fondre en larmes. Une fois chez elle, elle s'enfermait dans sa chambre et sanglotait. Au lieu de s'apaiser, son chagrin semblait enfler, et enfler, indéfiniment.

Vendredi soir, à table, de nouveau Steph ne toucha pas à son plat. Elle ne pouvait rien avaler. Sam, son frère aîné,

déclara d'un ton désapprobateur :
– Steph, si tu continues à déprimer comme ça, tu vas tomber malade.
– Sam a raison. Tu dois reprendre des forces, renchérit M. Lake.
– Je n'ai pas faim, murmura Steph. Excusez-moi…
Elle fit mine de se lever de table, mais son père la retint :
– Attends, ma chérie, nous devons discuter. Nous comprenons ta déception, ta douleur…
Il échangea un coup d'œil avec sa femme :
– Mais ça nous inquiète de te voir si triste. Steph, il faut réagir et tourner la page !
– C'est facile à dire, répliqua Steph en haussant les épaules. Vous ne l'aimiez pas autant que moi…
– Non, bien sûr, reconnut doucement sa mère. Mais serais-tu heureuse si nous t'offrions un autre cheval ?
– Un autre cheval ? répéta Steph, incrédule. Pour remplacer Arizona ?
Elle secoua la tête :
– Mais on ne peut pas la remplacer ! Un

cheval, ce n'est pas un jouet qu'on achète et qu'on jette !

– Naturellement, soupira Mme Lake. Là n'est pas la question. La peine que tu éprouves, ma chérie, nous fait mal. Si tu ne te bats pas pour surmonter cette épreuve, tu vas te laisser aller, et te démoraliser de plus en plus.

– Essaie de réagir de manière positive, s'il te plaît, poursuivit M. Lake. Tiens, pour te donner un exemple, c'est un peu comme lorsqu'on tombe de cheval : il faut remonter tout de suite, faute de quoi on a peur à vie !

– Exact, marmonna Steph. Mais la situation est différente.

– Pas tant que ça, rétorqua son père. Si tu avais un autre cheval, tu apprendrais à l'aimer, et…

– Non, papa, c'est impossible, l'interrompit fermement Steph. Au Pin creux, je monterai Flamme comme avant, c'est tout.

– Tu es sûre ? demanda M. Lake. C'est ce que tu veux ?

– Oui.

Steph baissa les yeux, au bord des larmes. En réalité, ce qu'elle voulait, c'était retrouver Arizona... Sauf qu'Arizona n'existait plus. Elle était devenue Punk et appartenait dorénavant à Chelsea Webber.

Samedi matin, une pluie fine tombait sur Willow Creek. Steph se rendit quand même au Pin creux. Max organisait l'atelier pédagogique hebdomadaire ; cette fois, il avait invité l'auteur d'un ouvrage sur le comportement des chevaux, et le sujet intéressait la jeune fille.

Elle espérait aussi que le débat prévu après la conférence lui changerait les idées. Cela faisait déjà une semaine qu'elle s'était séparée d'Arizona, et, rien que d'y penser, les sanglots lui nouaient la gorge. Elle était plus déprimée que jamais, mais elle s'efforçait de moins le montrer.

Steph retrouva Lisa et Carole devant les écuries.

– Salut ! Vous êtes là depuis longtemps ?

– On vient d'arriver, répondit Lisa. Alors, comment tu vas ?

– Oh, super bien ! plaisanta Steph. Vous avez d'autres questions drôles ?

À ce moment-là, Meg Durham et Betty Cavana les rejoignirent, un sourire compatissant aux lèvres.

– Bonjour, Steph, dit Betty. On a appris la nouvelle au sujet d'Arizona. Et… on est de tout cœur avec toi.

– Oui, de tout cœur, renchérit Meg. Courage…

– Merci, murmura Steph en s'efforçant de sourire poliment. C'est la vie, pas vrai ?

– La vie est parfois injuste, marmonna Carole. Bon, il faut y aller, Max nous attend.

Les filles se dirigeaient vers le manège quand une voix héla Steph. Se retournant, l'adolescente aperçut Veronica. Celle-ci lui faisait signe de la rejoindre. À contrecœur, Steph obtempéra.

– Qu'est-ce qu'il y a ?

– Je voudrais te parler, déclara Veronica.

Steph remarqua qu'elle semblait gênée :

– Maintenant ? Il y a l'atelier, et…

– Je n'en ai que pour quelques minutes, insista Veronica.

Curieusement, elle demanda à Steph de la suivre dans un coin isolé, derrière le bâtiment principal du centre équestre.
– Mais enfin, qu'est-ce qu'il y a ? s'impatienta Steph.
Veronica parut hésiter, puis elle dit très vite :
– Je suis désolée que tu aies dû te séparer d'Arizona. Moi aussi, je vais être triste quand on m'enlèvera Tornade.
– Quand on t'enlèvera…
Tout à coup, Steph se rappela les déboires familiaux de la riche cavalière. Son père serait-il déjà ruiné ?
– Quoi, vous devez vendre Tornade ?
– J'en ai bien peur, murmura Veronica, les yeux dans le vague. Les affaires de papa ne s'arrangent pas. C'est pour ça que je voulais te parler… Steph, tu crois que tes parents accepteraient d'acheter Tornade ?
– Acheter Tornade ? répéta Steph, abasourdie.
Veronica hocha la tête, les yeux brillants :
– Imagine… Toi, tu aurais un merveilleux cheval pour remplacer Arizona. Moi, je

pourrais toujours voir Tornade… et même la monter de temps en temps, si tu étais d'accord !

– Si j'étais d'accord ?

En dépit de sa stupeur, Steph devina que Veronica tentait l'impossible pour ne pas perdre entièrement son cheval. C'était d'autant plus compréhensible que Tornade était une superbe jument pur-sang, qui avait l'étoffe des champions. Hélas, Veronica ne l'avait jamais suffisamment entraînée. En revanche, si Steph s'y attelait…

– Veronica, je serais éventuellement d'accord, reprit-elle en souriant. Mais à deux conditions : il faudrait que j'aie envie d'avoir un autre cheval, et qu'on ait les moyens d'acquérir Tornade. Or, Tornade vaut cher. Mes parents n'auront jamais assez d'argent.

– Qu'en sais-tu ? répliqua Veronica sur un ton de défi. Je parie qu'ils se sentent coupables parce que tu as dû rendre Arizona ! Après tout, ce sont eux qui te l'ont offerte !

– Et alors ? Ce n'est pas leur faute si c'était

un cheval volé, dit calmement Steph.

Elle soupira :

– En même temps, dans un sens, tu n'as pas tort. Hier, justement, ils m'ont proposé de m'offrir un autre cheval. J'ai refusé.

– Pourquoi ? s'écria Veronica.

– Parce que Arizona me manque, et que je ne veux pas la remplacer, expliqua Steph.

– Même pas par Tornade ?

Steph la regarda dans les yeux. Ça, c'était un argument tout à fait digne de Veronica l'égoïste ! Et un argument… désespéré. À l'évidence, Veronica était prête à tout pour ne pas se séparer réellement de Tornade ; parce que, malgré tout, elle aimait son cheval.

– Écoute, je vais y réfléchir, promit-elle.

– Alors, réfléchis vite, insista Veronica. Très vite.

Steph et Veronica venaient à peine de rejoindre l'atelier pédagogique quand Mme Reg s'avança :

– Excusez-moi, on demande Stéphanie Blake au téléphone. C'est urgent.
Urgent ? Inquiète, Steph se leva d'un bond et suivit la mère de Max à l'extérieur du manège.
– Qui est-ce ?
– Une jeune fille. Elle n'a pas voulu se présenter, répondit Mme Reg.
Steph s'empara du combiné :
– Allô ?
– Steph ? fit une voix un peu tremblante à l'autre bout de la ligne. C'est Chelsea Webber…

13

– C'est là ! dit Steph en désignant un chemin qui serpentait à travers champs.

– Ce n'est pas trop loin du Pin creux, remarqua Deborah Hale, la fiancée de Max.

Au volant du pick-up de Max, elle s'engagea sur le sentier cahotant qui menait à la ferme de la famille Webber.

– Mais pourquoi Chelsea m'a-t-elle appelée ? Qu'est-ce qui a bien pu se passer ? s'interrogea de nouveau Steph.

– Tu le sauras dans quelques minutes, dit Deborah. Patience !

– Pourvu que ce ne soit rien de grave !

L'anxiété rongeait Steph depuis le mystérieux appel de Chelsea. Celle-ci lui avait juste demandé de venir chez elle au plus vite, sans rien préciser. Du coup, Steph redoutait le pire : Arizona avait eu un accident, ou elle avait fait une allergie à la teinture... Par chance, Deborah, qui était juste arrivée au Pin creux, avait pu l'accompagner. Carole et Lisa s'étaient chargées de prévenir les parents de leur amie. Deborah et Steph avaient donc quitté le Pin creux une demi-heure plus tôt – autant dire une éternité pour Steph, ...

Enfin, Deborah se gara devant la ferme et coupa le contact :

– Vous voici à bon port, jeune fille !

– Merci, Deborah, dit Steph en souriant. Heureusement que vous étiez là ! Je n'aurais jamais eu la patience d'attendre papa et maman !

Elle sauta du véhicule. Au même instant,

elle remarqua qu'un rideau bougeait à l'une des fenêtres de la maison. Peu de temps après, Chelsea apparut sur le seuil, suivie de sa mère.

– Bonjour, Steph, dit Chelsea en s'approchant.

Elle avait les yeux rouges, comme si elle avait pleuré. Steph sentit son appréhension s'accroître. Machinalement, elle présenta Deborah aux Webber. Puis elle prit une profonde inspiration :

– Alors, Chelsea ? Pourquoi m'as-tu demandé de venir ?

– Deborah, voulez-vous une tasse de thé ou un café ? proposa Mme Webber avant que sa fille n'eut le temps de répondre. Je crois que Steph et Chelsea préféreront être seules.

– Eh bien… Oui, avec plaisir, fit Deborah, un peu surprise. Je te retrouve plus tard, Steph.

Steph hocha la tête. Elle se sentait plus angoissée que jamais.

– Viens, dit Chelsea en l'invitant à la suivre.

Steph lui emboîta le pas, et toutes deux se dirigèrent vers l'écurie.

– Chelsea, qu'est-ce qu'il y a ? Arizo... Punk a un problème, c'est ça ?

– Non, aucun problème.

Chelsea s'arrêta à l'entrée du bâtiment et regarda Steph avec une étrange intensité :

– En fait, c'est moi qui ai un problème. Je me suis rendu compte que j'ai commis une très, très grosse erreur.

Perplexe, Steph fronça les sourcils. Il ne manquerait plus que Chelsea lui fît part de ses états d'âme !

– Et... ça me concerne ?

– Eh bien...

Chelsea hésita quelques secondes :

– Oui. Tu es même la première concernée, avec Punk... Tu t'entends si bien avec elle ! Elle t'attend.

– Pardon ?

Comme Steph restait bouche bée, Chelsea ajouta :

– C'est toi, sa véritable maîtresse. Voilà ce que j'ai compris, Steph. Je te la rends.

– Quoi ? Tu me… tu me la rends ? À moi ?
Comme dans un songe, Steph suivit Chelsea à l'intérieur de l'écurie. Un hennissement familier les accueillit. Oubliant instantanément tout le reste, Steph courut jusqu'au box de la jument, l'ouvrit et se jeta vers le cheval.
– Bonjour, toi ! Oh, que tu es belle ! En pleine forme ! s'exclama-t-elle en caressant son flanc lustré.
Puis, s'apercevant que Chelsea l'observait, elle se ressaisit :
– Elle a mangé ? Tout va bien ?
– Oui, tout va bien… Sauf qu'elle n'est plus à moi, murmura Chelsea.
– Excuse-moi, je ne comprends pas, bafouilla Steph.
Le sang lui martelait les tempes.
– Elle est à toi, répéta Chelsea. Je t'ai appelée pour que tu la reprennes. Mes parents te la revendront au même prix. Tu peux la ramener au Pin creux quand tu veux.
– Quand je veux ?
– Oui.

Steph secoua la tête, abasourdie. Rêvait-elle ? C'était trop beau pour être vrai ! Pourtant, Chelsea ne semblait pas plaisanter.

– Vraiment ? Arizona reviendra au Pin creux ? balbutia-t-elle. Tu me la rends ?

En parlant, Steph passa les doigts dans le crin sombre d'Arizona. Des larmes lui piquaient les paupières – des larmes de bonheur, cette fois.

– C'est un miracle... Un vrai miracle ! murmura-t-elle en regardant Arizona, puis Chelsea.

La jeune fille semblait aussi bouleversée qu'elle.

– Chelsea, explique-moi, demanda Steph d'une voix altérée par l'émotion. Pourquoi cette décision ?

Chelsea s'assit sur une botte de fourrage, l'air songeur. Doucement, Steph s'installa à côté d'elle.

– Tu sais, Steph, j'ai bien vu que c'est elle que tu as montée samedi dernier, confia Chelsea, les yeux rivés sur Arizona. Pour moi, ça a été le déclic...

– Quoi ? Tu as su, et tu n'as rien dit ? fit Steph, le souffle coupé.

Chelsea se mit à rire :

– Je n'allais pas gâcher ta joie... D'autant que le maquillage était très réussi ! Punk était métamorphosée. Chapeau ! Mais, moi, je la connais trop bien pour être dupe...

Ahurie, Steph garda le silence un long moment.

– J'aurais dû me douter que tu la reconnaîtrais, dit-elle finalement en souriant pour cacher sa gêne. Mais j'étais prête à tout pour faire équipe avec elle...

– Et vous formez une sacrée équipe, compléta Chelsea, une lueur à la fois triste et admirative au fond du regard. D'une certaine manière, vous vous ressemblez... Punk est un cheval totalement imprévisible, qu'il faut savoir manier. Comme toi, j'ai l'impression.

– Il paraît...

Chelsea la contempla attentivement, et elle poursuivit d'une voix tremblante :

– En tout cas, Steph, pour avoir joué le tout

pour le tout, samedi dernier, il faut que tu aimes vraiment Punk. Et ça, je n'y avais pas réfléchi. Ce qui comptait pour moi, c'est de récupérer mon cheval.
– Parce que toi aussi, tu l'aimes, fit remarquer Steph, émue.
Chelsea acquiesça d'un bref signe de tête.
– Je l'aime même énormément avoua-t-elle, en regardant de nouveau Arizona. Mais depuis que je l'ai retrouvée, j'ai aussi compris autre chose : elle et moi, on ne s'entend pas à la perfection… Par exemple, je n'ai jamais réussi à la monter aussi bien que toi. Elle m'a désarçonnée à plusieurs reprises, et récemment, elle m'a fait tomber !
– Ah, oui, elle est vive !
– Trop vive pour moi, je pense, conclut Chelsea en se levant.
Elle se dirigea vers le box de Silverado et caressa tendrement le front du cheval gris.
– Vous ne l'avez pas rendu ? s'étonna Steph.
– Si, mais on est retournés le chercher. Mes parents ont décidé de l'acheter. Silverado et

moi, ça colle… Il est tranquille, et je n'ai aucune difficulté avec lui. Nous nous comprenons très bien. Oh, je me suis aperçue de tout ça ces derniers jours, précisa Chelsea, l'air penaud. Avant, je m'en moquais, parce que je ne pensais qu'à Punk ! Mais quand elle est revenue, il a fallu qu'on rende Silverado… Et là, j'ai senti à quel point je m'étais attachée à lui. Il m'a manqué… Cela m'a permis d'imaginer ce que tu as éprouvé lorsqu'il a fallu que tu te sépares de Punk. Ta tristesse, ton chagrin…

Des larmes brillèrent dans les yeux de Chelsea.

– J'ai quand même eu beaucoup de mal à me décider, murmura-t-elle. Punk et moi, on se connaît depuis longtemps. On a beaucoup appris, ensemble. Mais, avec toi, elle sera plus heureuse qu'ici, j'en suis convaincue. Voilà.

Steph lui sourit, profondément bouleversée. La générosité de Chelsea, son amour évident pour les chevaux l'impressionnaient… Tout compte fait, Chelsea se révélait être une fille épatante.

– Tu viendras la voir très souvent, d'accord ? Tu pourras la monter…

– Ça, on verra, l'interrompit gentiment Chelsea. Mais on se rencontrera sans doute à des concours, ou à des jeux comme ceux de samedi dernier. Et peut-être que je te battrai ! Silverado est doué, lui aussi !

– J'ai remarqué, dit Steph avec un petit rire. Je n'ai pas oublié que c'est ton club qui a gagné !

Puis, cédant à une impulsion, elle embrassa Chelsea sur la joue :

– Merci, Chelsea. C'est… Tu es… Je ne sais pas quoi dire ! Merci un milliard de fois. Rougissant légèrement, Chelsea se détourna.

– Ne me remercie pas. Quand on aime les animaux, on ne les traite pas comme des objets. Enfin, dans cette affaire, ton amie Veronica s'en est bien sortie, elle ! conclut-elle d'un ton ironique.

– Veronica ? Veronica Angelo ? demanda Steph, étonnée.

– Elle-même. Après tout, elle a empoché

les mille dollars de récompense !

Steph la dévisagea avec stupéfaction :

– Quelle récompense ?

– Tu n'es pas au courant ?

– Mais non ! Explique-moi !

Aussi surprise que Steph, Chelsea hocha la tête :

– Eh bien, lorsque Punk a été volée, mes parents ont mis des affiches dans plusieurs endroits, dont le golf de la région. C'est là que les parents de Veronica en ont pris connaissance. Ils en ont parlé à Veronica, et, un beau matin, elle nous a appelés pour décrire Arizona. C'est comme ça que j'ai retrouvé Punk au Pin creux !

Abasourdie, Steph resta muette un long moment, se remémorant les soupçons qu'elle avait nourris au début : quelqu'un avait forcément mené Chelsea jusqu'à Arizona ! Et elle avait eu raison de le penser ! Mais elle n'aurait jamais pu imaginer qu'il s'agissait de Veronica Angelo. Jamais… Une sourde colère teintée d'amertume envahit Steph. Dire qu'elle avait fait confiance à Veronica... Elle avait même cru qu'elle devenait gentille !

– Veronica n'est pas mon amie, mais alors pas du tout, marmonna-t-elle, les dents serrées. Toi, si. À partir d'aujourd'hui, tu seras toujours la bienvenue au Pin creux... et je te présenterai le Club du Grand Galop !

– Le quoi ?

Steph se mit à rire et lui expliqua rapidement les liens qui l'unissaient à Carole et à Lisa.

– Ce sont mes meilleures amies. Tu les connaîtras, j'espère.

– Je l'espère aussi, dit Chelsea en souriant.

Émue, Steph l'embrassa de nouveau sur la joue. Oui, entre Chelsea et elle, une vraie amitié s'était forgée.

14

– On fait la course jusqu'à la clairière ! cria Steph en donnant un léger coup de talons à sa monture.

Arizona réagit immédiatement, se lançant dans un galop aussi rapide qu'élégant. Carole, à dos de Diablo, fut rapidement distancée. Même Prancer, que montait Lisa, fut battue à plates coutures ! En riant, les trois amies se retrouvèrent au bout du chemin forestier.

– Arizona est une vraie flèche ! s'esclaffa Carole. À côté, Diablo est un veau…
– N'exagérons rien, protesta Lisa. Steph est partie quelques secondes avant nous !
– J'aurais gagné de toute façon ! fit remarquer Steph. Arizona est la meilleure. Comme moi, quoi !
Lisa et Carole échangèrent un coup d'œil complice. Steph était redevenue elle-même : fière, provocatrice et pleine d'humour !
– Hé, tu n'aurais pas les chevilles qui enflent, par hasard ? se moqua Carole.
– Qui, moi ? lança Steph, faussement innocente. Pourquoi ? Arizona n'est pas la meilleure, peut-être ?
– Elle, si ! répondirent ses amies en chœur.
Les trois filles éclatèrent de nouveau de rire. Puis, en bavardant, elles poursuivirent leur balade. Ce dimanche, l'air était vif, mais le soleil brillait, et le ciel était d'un bleu pur. Aussi, chaudement couvertes, avaient-elles décidé de faire une grande promenade en forêt.
– Quand je pense qu'elle aurait pu ne pas

être là ! reprit Steph en caressant les oreilles de sa jument. Chelsea a été très chouette.

– Chelsea restera une amie, c'est sûr, renchérit Carole. Comme quoi, les apparences sont trompeuses ! Vous vous souvenez de ce qu'on pensait d'elle ?

– On croyait qu'elle était menteuse, et méchante, rappela Steph en esquissant une moue. Et, finalement, elle est tout le contraire ! Alors que Veronica, elle, devrait entrer dans le livre des records ! ironisa-t-elle. Quelle traîtresse !

Toutes trois gardèrent le silence quelques instants. La veille, elles avaient obtenu le fin mot de l'histoire en mettant Veronica au pied du mur : elle avait avoué qu'elle avait contacté la famille Webber après avoir découvert l'annonce mentionnant le vol de Punk. Cela s'était passé au moment où elle avait appris que son père risquait la banqueroute : craignant qu'il ne faille vendre Tornade, la jeune fille avait espéré pouvoir racheter son cheval grâce à l'argent de la récompense… Par la suite, elle avait réellement cru que les parents de Steph pourraient acquérir Tornade. Ainsi, elle-même conserverait les mille dollars pour autre chose ! Veronica avait donc fait preuve d'une double mesquinerie, dont elle ne s'était même pas excusée…

– Je trouve qu'elle devrait rendre cet argent aux Webber. Après tout, elle est toujours aussi riche ! fit remarquer Lisa.

Steph et Carole acquiescèrent. En effet, Mme Reg leur avait appris que les affaires de M. Angelo étaient réglées. Certes, la faillite avait été évitée de justesse, mais, dans l'immédiat, plus aucune menace ne planait sur la famille Angelo.

– Veronica est riche, mais pauvre dans son cœur, lança Steph avec mépris.

– Dire qu'on a cru qu'elle avait changé ! dit Carole. Maintenant, on sait qu'on la détestera jusqu'à la fin de nos jours !

Les trois amies avancèrent en silence quelques instants.

– Bon, parlons de choses plus agréables, proposa Steph. Comme le prénom de mon

cheval… Punk, ça ne me plaît pas du tout.
– Oh, non ! Tu ne vas pas remettre ça ! s'écria Carole en levant les yeux au ciel.
– Si, si, dit Steph, l'air taquin. Mais cette fois ce sera pour vous dire que j'ai décidé de l'appeler…
Elle suspendit la voix, ménageant un effet de surprise :
– Arizona !
Carole et Lisa applaudirent :
– C'est une très bonne idée !
– Oui ! Nous avons vécu tant de choses ensemble ! Et puis, il ne faut pas la perturber davantage. Deux noms, ça fait beaucoup pour un cheval. Alors, elle sera toujours mon Arizona à moi !
Elle contempla sa jument, admirant la robe châtaigne et cet étonnant point d'exclamation blanc sur le front…

FIN

601. Les trois font la paire
602. Il faut sauver le club !
603. Une Étoile pour le club
604. En vacances au ranch
605. Tricheries au club !
606. Pour l'amour d'un cheval
607. Un cheval pour pleurer
608. Une naissance au club
609. Coups de cœur au club
610. Aventures au Far West
611. Un concours à New York
612. Le club prend des risques
613. Un poulain en danger
614. Rodéo pour le club
615. Au galop sur la plage
616. Une sacrée équipe !
617. Kidnapping au club
618. Une randonnée très périlleuse
619. Une star au Pin creux
620. Un si lourd secret
621. Panique au Pin creux
622. Un défi pour le club
623. Des vacances mouvementées
624. Lune de miel au Pin creux
625. Anniversaire au club
626. Une amitié à toute épreuve
627. Une escapade orageuse
628. Une fiancée pour Max !
629. Une leçon d'amitié
630. Coup de théâtre au Pin creux
631. Une étrange maladie
632. Secret de famille
633. Un cadeau inespéré
(à paraître en juin 2001)

Impression réalisée sur CAMERON par

BRODARD & TAUPIN

GROUPE CPI

La Flèche
en avril 2001

Imprimé en France
N° d'Éditeur : 6783 – N° d'impression : 6856